Lo que Dios ha unido
que no lo separe mamá

ALFONSO USSÍA

Con ilustraciones de Barca

Barcelona • Bogotá • Buenos Aires • Caracas • Madrid • México D.F. • Montevideo • Quito • Santiago de Chile

1.ª edición: abril 2000
1.ª reimpresión: julio 2000
2.ª reimpresión: septiembre 2000

Bailén, 84 - 08009 Barcelona (España)
www.edicionesb.com

Printed in Spain
ISBN: 84-406-9837-2
Depósito legal: B. 36.295-2000

Impreso por Gráficas Domingo

Lo que Dios ha unido

que no lo separe mamá

ALFONSO USSÍA

*L*os personajes se presentan

El marqués de Sotoancho

Me llamo Cristián Ildefonso Laus Deo María de la Regla Ximénez de Andrada y Belvís de los Gazules, Valeria del Guadalén y Hendings. Represento para la Historia y ostento para su gloria y honra, tres títulos nobiliarios. Soy el VIII Marqués de Sotoancho, el IV Conde de Buganda de don Fradique y el IX Barón de la Dehesa.

Los títulos suenan bien, pero no son nada del otro mundo, sinceramente. Los de Alba, Medinaceli, Osuna, Infantado y Alburquerque, por poner cinco ejemplos significativos, son algo mejores que los míos.

Nací en Sevilla hace sesenta y dos años, el 12 de febrero de 1938, aunque no me hubiera importado hacerlo en Jerez de la Frontera, cuna de mi madre. La razón no es otra que el carácter biprovincial de nuestra familia. La Jaralera, que es nuestra casa y campo, y que posteriormente intentaré dibujar con dos pinceladas verbales, se sitúa entre las provincias de Cádiz y Sevilla, hasta tal punto, que el comedor de nuestra casa marca la línea imaginaria entre ambos territorios, de tal modo que una cabecera de la mesa está en Sevilla y la otra en Cádiz. Eso no lo tienen ni los Alba, ni los Medinaceli, ni los Osuna, ni los Infantado ni los Alburquerque... ni los mismísimos Reyes de España.

Mi padre, ya fallecido, era un tipo brusco y estupendo, con un carácter vitalista que nada me asemeja a él. Fue amigo de Fernando Villalón, el poeta de las Marismas, marqués de Miraflores de los Ángeles, y como el poeta, también fue garrochista, jinete, bronco, agreste, cortés, elegante y gran señor del campo. Se llamaba Ildefonso Gonzalo del Prendimiento Ximénez de Andrada, Valeria del Guadalén, De Elcano y Mendiluce.

El recuerdo de mi padre en el día de su fallecimiento dio inicio a mis memorias escritas. Cuando murió, yo no había cumplido los dieciséis años, y no comprendí el valor de su presencia perdida hasta que fue agigantándose su figura y su ausencia con el paso del tiempo. Montaba a caballo como un mayoral, se enamoraba de las flores y los árboles, quería a su manera, y era generoso, culto y abierto. Con los años supe que también fue hembrero de cumbre alta, potro cumplidor y fornicador de bragueta fácil y marismeña.

Su tesoro fue siempre su gran biblioteca, que conservo intacta —intacta entre otras razones porque desde su muerte no ha vuelto a entrar ningún libro—, y que está compuesta por más de cinco mil volúmenes encuadernados, y en la que no faltan ni los Maestros del 98, ni los poetas del 27, ni el *Kamasutra*. Para que mi madre no descubriera sus debilidades literarias, encuadernaba los libros con títulos falsos. Así, la primera edición de *Marinero en tierra* de Rafael Alberti, dedicada con gran afecto por su autor a mi padre, anuncia en el lomo: *Stoffenberg. La Cría del Conejo de Granja*. De esta forma, Mamá jamás descubrió su secreto. Porque si mi madre se llega a enterar de la existencia en la biblioteca de casa de obras de poetas del otro lado, arde La Jaralera.

Mi padre murió de un ataque al corazón y de mucha pena. Me temo que mi madre fue poco mujer para sus impulsos de macho apasionado y montante. Aunque cumplir, lo hizo una vez al menos, de cuyo cumplimiento nací yo. Pero no deduzco pasiones rompientes en la relación de ambos. Por ejemplo, mi padre jamás vio a mi madre completamente desnuda. Lo hacían a ciegas, tras desabrocharse ella una trampilla coquetona del camisón.

Cuando yo era niño, vino a casa una *swester* alemana, Fraülein María, un sueño de mujer joven. Tras su obligada marcha —la echó mi madre con cajas destempladas en un ataquito de celos—, a mi padre se le llenaron los ojos de nubes y la voz le salía más ronca del alma. Nunca volvió a ser el mismo hasta que el corazón le estalló en cuajarones de sangre.

Yo soy diferente. Leo y escribo. Me gusta el campo, pero no alcanzo a matizar sus bellezas, como hacía mi padre. Mi mundo se resume en La Jaralera, que es mucho más, muchísimo más que una simple finca. Es una forma de vivir, de entender las relaciones entre los hombres, de pesar sus dichas y penas en una balanza especial y única.

No monto a caballo, porque me da susto. Tampoco he sido hembrero. Tengo un temperamento amable, y si potro fuera, aunque entero habría pasado por castrado. Al día de hoy no he conocido todavía lo que se siente en el fornicio. Mi fortuna personal es incalculable, y mi apego al dinero, también.

Tiro bien. Más a la pluma que al pelo. Una vez al año viajo a Londres para renovar mi vestuario, auténtica maravilla. Las camisas me las encargo en Hogdson & Hogdson, los trajes en Bedgson & Bedgson, los zapatos en Higgins & McDeaver y los sombreros en Fauntleroy & Grossom. El resto, calcetines, corbatas, calzoncillos y pijamas los compro en las Burlington Arcades, Jeremey Street o Saville Row. Soy, como Papá y el abuelo, anglófilo y francófobo. Los *kilts* escoceses me los confeccionan en Edimburgo, en concreto en McConnery & McIntosh, que cobran una barbaridad.

Mi mejor amigo —quizá el único— es Tomás, mi mayordomo, aunque manteniendo las distancias precisas y recomendables. Y *Gus*, mi perrillo mil leches, que me da todo sin pedirme nada.

Me encanta la naturaleza y cada día que paso me acerco más a mi padre en el amor al campo y al jardín. Me intimidan las mujeres. Ya he escrito que no soy de fuchinga altiva, sino más bien meona y resignada, y pocas veces he sentido que algo nuevo entraba en mi cuerpo. Quizá por miedo al pecado mortal que tanto Mamá me recuerda.

Tuve de joven un escarceo con la hija del administrador, pero no lo recuerdo como un episodio triunfal. Y fui novio de una sobrina biznieta del Zar Nicolás II, llamada Olimpia de Bolka-Romanov y Repullés. Pero a ésa, ni un beso. Tanto me obsesionó mi debilidad masculina que una noche contraté a tres guarritas profesionales. El fracaso fue rotundo.

Hasta que un día llegó Marisol a La Jaralera. Vino con su padre, Lucas, el guarda de La Manchona, el cuartel serrano de la finca. A partir de aquel conocimiento cambió mi vida. Ahora comprendo la locura, la depresión, el arranque y los celos. Ella es la luz de mi horizonte, mi amnistía.

Sin salir apenas de casa, mucho he vivido. Aquí hice la Mili, y en mi casa recibo y trato a gentes muy importantes. Porque La Jaralera es un reino. Cubre mi territorio ocho mil hectáreas, cien más, cien menos. Cuenta con sembrado, sierra, dehesa, sotos, un río que lo atraviesa, el Guadalmecín, un lago natural, y un milagro de la naturaleza, la Albariza de los Juncos, un enorme lucio de agua salada que nace sin fundamento alguno entre cañas y junqueras. ¿Doñana? No está mal, pero nada más.

Los Sotoancho mantenemos un contencioso con la Familia Real, al menos por nuestra parte. Cuando la Familia Real tuvo la oportunidad histórica de zanjar las desavenencias mutuas, no lo hizo. Me refiero a las bodas de las Infantas Elena y Cristina, a las que no fuimos invitados ni Mamá ni yo. Y Mamá se hizo una pamela, lo que agrava las cosas.

Yo, como mi padre, soy liberal, y superando los resquemores de nuestro contencioso, me considero satisfecho con el actual sistema y la Monarquía Parlamentaria. Pero Mamá es muy de Franco. Creo en Dios porque me lo han ordenado y no he tenido la oportunidad de pensarlo mucho, trato bien a los que me sirven y rodean, respeto a mi madre con vocación muy declinante y sueño con ser libre. Nunca lo he sido. Y poco a poco, con esfuerzo, artimañas, inteligencia y ayuda, lo voy consiguiendo.

Marquesa viuda de Sotoancho

Me llamo Cristina Victoria Jimena Belvís de los Gazules Hendings, Boisseson y de nuevo Hendings. Por eso tengo tan buena pinta. Soy la marquesa viuda de Sotoancho, madre del actual marqués, mi querido Susú. Y mi edad, a ustedes no les importa.

Mi marido, que en paz descanse y Santa Gloria haya, estaba locamente enamorado de mí. De nuestra unión cristiana nació Cristián Ildefonso. Dicen que tengo un carácter fuerte, pero no es así. Soy tierna y sencilla a más no poder. Quizá un poco autoritaria, lo necesario para llevar con mano firme esta casa y esta finca. Porque mi hijo, que me adora, no está capacitado para hacerlo. Él es el dueño, pero no manda nada.

Creo en Dios y en la Virgen María más que Pitita Ridruejo. Soy católica, apostólica y romana, pero del Concilio de Trento. Estoy convencida de que Dios no se equivoca, y por ello defiendo el orden establecido, la diferencia de clases y la superioridad de una raza sobre las demás. La prueba es que ni los chinos, ni los negros ni los pieles rojas tienen misioneros, como nosotros. No obstante, todos los años deposito mi limosna en el día del Domund, y lo hago feliz y contenta.

No me gustan los perros, y creo que las mujeres, en una gran mayoría, son unas pecadoras compulsivas. Por eso vigilo a mi hijo, y hago promesas para que no me lo pierda una marranaza lista. De cualquier forma, entiendo que ha llegado la hora de que se case con el fin de perpetuar nuestra rama familiar. De no hacerlo, todo lo que tenemos, más El Acebuchal de mi primo Juan José, quedaría en manos de parientes indeseables.

He decidido no morirme hasta que mi hijo esté casado con una mujer decente y de buena familia que sepa representar su papel histórico.

Leo lo que hay que leer, rezo de continuo, vivo pendiente de la educación y formación de mi hijo y de la austera administración de esta casa. Pero no me olvido de los necesitados. Todas las semanas dispongo que más de cinco mil pesetas —o sea, seis mil—, sean repartidas entre los pobres. Si bien estoy segura, como decía mi amigo Edgar Neville, que algo de culpa tendrán para ser tan pobres.

Mi hijo y yo siempre estamos de acuerdo, y me quiere con locura. Me preocupa la influencia que últimamente ejerce sobre su voluntad la chica esa, hija de uno de los guardas. De cualquier forma, mi hijo siempre me obedecerá y sabrá custodiar su pureza hasta que el matrimonio le permita cruzar el peligroso umbral de la carne.

Mi capellán particular se llama don Ignacio, y mi doncella y ponebaños, Flora. He sufrido en la vida toda suerte de adversidades, hasta un secuestro, pero ofreciendo las penalidades a Dios, toda molestia es sinónimo de beneficio. Mi orgullo, además de mi hijo, es mi colección de solideos papales, única en el mundo.

No me gustan los Reyes. Son demasiado jóvenes para reinar y no saben mantener la distancia entre ellos y la plebe. Demasiada sonrisa, demasiada música y demasiados viajes. Por si fuera poco, con nosotros se portan fatal. Les molesta que La Zarzuela sea menor que La Jaralera, y darían lo que fuera por vivir en un territorio biprovincial.

No lloro. Jamás lo he hecho, y menos en público. Tampoco me río. Si acaso, una breve sonrisa, casi mueca, muy parecida a la de la suegra de Sissi en la película, es lo máximo que me permito para demostrar mi contento. Me da asco que los hombres me den la mano y la besen después, y por ello llevo guantes casi siempre.

El día que falte, que ya lo decidiremos Dios y yo en su momento oportuno y de común acuerdo, mi hijo se morirá de tristeza. Por eso quiero dejarlo todo atado y bien atado, como nuestro difunto Caudillo, de cuyo fallecimiento me enteré con quince años de retraso.

Rezo diariamente por los países devastados y el hambre en el mundo, y hago dolorosas promesas para que todo se solucione. Me confieso cada dos días, con exclusión del Sexto Mandamiento, que siempre he cumplido hasta el límite de la santidad. Sólo me ha tocado —y poquísimo— mi difunto y casto esposo, aunque debo confesar, para no caer en mentira, que de niña crecidita, en San Sebastián, un sinvergüenza logró engañarme y darme un beso.

Mi futuro no es otro que resistir hasta que mi hijo pueda valerse por sí mismo. Luego, lo que Dios quiera, siempre que me lo consulte previamente, claro.

Tomás

Mi nombre es Tomás Miranda Carretón. Tengo cincuenta y tres años, recién cumplidos, y soy el mayordomo y ayuda de cámara del marqués de Sotoancho. Por lo tanto ostento la Jefatura del servicio doméstico de La Jaralera. Y la ejerzo.

Mi labor se resume en el servicio al señor marqués. Llevo diez años a su lado, y he terminado por quererlo y comprenderle, aunque a veces sea difícil. El marqués dice de mí que soy hiriente, vitriólico, inoportuno, sindicalista y brusco, pero no puede vivir sin mis consejos y sin mi asistencia. El pobre es bastante débil, y aunque no del todo, parece tonto. Un tonto parcial, porque no se le escapa un duro.

A su madre, la marquesa viuda, la tengo atravesada, y mucho me temo que el desafecto sea recíproco. Y al capellán no puedo soportarlo. Es superior a mis fuerzas.

En la ideología soy de izquierdas de toda la vida, pero ese detalle en La Jaralera carece de importancia. Aquí les tiene al fresco que gane Aznar, Frutos o Almunia. Lo único que les inquieta es la capacidad de supervivencia de don Juan José, al que heredará el señor marqués si se casa y tiene un hijo.

No soy de piedra, y amo calladamente a Flora, la doncella y ponebaños de la marquesa. Está maciza y tiene la belleza luminosa del campo andaluz. Sueño con ella, pero mi desgracia es que el sueño lo comparto con casi todos los hombres de La Jaralera. Algún día me atreveré a declararle mis sentimientos, que son hondos como una soleá desgarrada.

Los fines de semana, cuando libro, voy al puticlú del pueblo, donde coincido a menudo con don Juan José. Soy agnóstico. Mi sueldo es bueno, y vivo como un pachá, y siempre que quiero ganar más, se lo saco al marqués. No le desprecio. Siento por él afecto y cariño, y me parece lo mejor de la casa. Claro que la casa, como tal, se sintetiza en su persona y en la de su madre, que es un bicho.

Me considero su amigo y confidente. Le trato, a veces, como si fuera un niño. Conozco sus reacciones y excepto con el vestuario, da poco que hacer.

En el orden jerárquico de La Jaralera, soy el número tres. Cuando la diñe la bruja, seré el dos. Siempre que el marqués no se case. Pero yo estoy aquí para evitarlo. Por su bien.

Flora Bermudo Gutiérrez, nacida en Algodonales, provincia de Sevilla, hace treinta y tres años. Así dice mi DNI. Soy la doncella particular y ponebaños de la marquesa viuda de Sotoancho, segunda persona en el escalafón jerárquico del servicio doméstico de La Jaralera, aunque la marquesa asegura que soy la primera.

Ingresé en esta casa hace doce años, he prosperado

y estoy contenta. La marquesa es muy complicada. Tiene maldad estática, resquemor continuo y es intransigente hasta la exageración.

Me llevo bien con Tomás, que se nota a la legua que anda por mí, pero mi amor, mi verdadero amor, es Pepe *el Cigala*, un delincuente, secuestrador y vago redomado que me gusta más que comer con los dedos. Un hombre entero. Tomás me habla, y yo le oigo, me susurra y le escucho, porque la vida es muy rara y hay que poner huevos en todas las cestas. Además, otros que no son el Cigala y Tomás también aspiran a mis encantos. Porque la verdad, aunque parezca inmodestia, es que estoy buenísima.

Ni entiendo ni me interesa la política. Esto es un reino independiente, con una reina madre que manda, un rey que se deja mandar, un religioso que sólo piensa en comer, y unos habitantes que viven sin problemas graves. Cuando hay elecciones voto a quien me indica la señora marquesa. Al menos eso es lo que ella se cree.

Parezco indomable, pero resulto bastante fresca. Si la señora supiera sólo una décima parte de mis devaneos amorosos, me pondría en la calle. Pero tampoco. Nadie como yo conoce sus gustos y preferencias. Nadie como yo la sirve, la viste, le cuida la ropa y mantiene en perfecto estado de conservación su colección de solideos papales.

Paso por las memorias del marqués muy por encima, pero la soterra también es parte de la historia.

El tío Juan José

Soy Juan José Henestrillas y Valeria del Guadalén, primo político de la marquesa viuda de Sotoancho y tío del marqués. Además, soy el propietario de El Acebuchal, la finca que linda con La Jaralera. Acabo de cumplir noventa y cuatro años.

No he trabajado nunca. Ignoro lo que es pegar con un palo al agua. En mi vida no he hecho otras cosas que beber, comer, pasarlo bien y fornicar. Soy un salido y un obseso sexual, que roza la frontera de lo que algunos llaman degeneración. Desde que ha aparecido la Viagra no paro de galoparme al hembrerío que se pone a punto. Aunque comprenderán ustedes, que a mi edad, me cuesta bastante dinero.

En principio, El Acebuchal tiene que pasar a mi muerte a pertenecer a mi sobrino. No me llevo mal con él, pero no soporto a su madre. Mi primo, el fallecido marqués de Sotoancho, era un señor como la copa de un pino, pero su viuda es una beata infumable, que está deseando que me muera.

Me gustan las mujeres del pueblo, que son jacas sin inhibiciones. Tengo amores con toda suerte de niñas. Cuantos más años cumplo, más me gustan las jovencitas. A siete de ellas les he comprado un piso en Sevilla, y sus padres me adoran. Sólo tuve un problema hace años, cuando una familia de gitanos vino a buscarme con las navajas calientes por una tontería. Terminé negociando y les regalé dos camionetas de segunda mano.

Me quieren tanto mis niñas, que cuando se casan

soy testigo de sus bodas. Pero los años no pasan en balde, y he perdido facultades. Antes, podía compaginar a tres o cuatro simultáneamente, y ahora me basta con una. La actual es una bomba de mujer, Paquita *la Atunera*, hija de un pescador de la almadraba de Barbate.

He estado a punto de caramelo varias veces, pero cuando parece que la voy a cascar, revivo y me recupero. Con Paquita he llegado a un acuerdo. Los martes, jueves y sábados, polvete, y los lunes, miércoles y viernes, carantoñas. El domingo, depende. Si el sol luce, carantoñas, y si el día amanece nublado o con lluvia, polvete.

No hablo de dinero. Tengo para noventa años más a este ritmo. Y me lo quiero gastar antes de que lo herede el pichafloja de mi sobrino, que no lo necesita.

Lucas

Soy Lucas Montejo. Tengo cuarenta y tres años, guarda de La Manchona, el cuartel serrano de La Jaralera. Pero lo fundamental es que soy también el padre de Marisol, que nació hace veinte años. Su madre falleció de fiebres puerperales, que es muerte de madre pobre, de campo aislado.

Aquí tengo trabajo seguro mientras a mi niña la ronde el pobre señor marqués. Como si yo fuera ciego. No me importa que el marqués sueñe. También lo hago yo con Flora, por la que moriría. Pero Tomás está con la mosca detrás de la oreja.

Lo de Marisol, para mí, que soy su padre, no es fácil de aceptar. Me mantengo alerta, si bien un pálpito interior me recomienda cautela. Al fin y al cabo, que la hija de un guarda pueda convertirse en la dueña y señora de este prodigio no es para despreciarlo.

El marqués representa el peligro y la salvación, el escándalo y la fortuna. Mi niña está demasiado buena y como es listísima, lo explota. Dios quiera que no le estalle su juguete en las manos, y menos en el corazón.

Marisol

Marisol Montejo Frechilla. Tengo veinte años, estudio 3.º de Arquitectura y soy la hija de Lucas, el guarda de La Manchona. Pero sobre todo, represento la ilusión del marqués, porque soy su sueño erótico. Y también el lírico.

Lo del primer día fue fortuito. Pero aquello marcó mi existencia y mi sitio en La Jaralera. Me gusta bañarme desnuda, y lo hacía en el Guadalmecín recién llegada a la finca del marqués. Éste me sorprendió. Hasta ahí la sorpresa y lo que viene sin buscarlo. No me inmuté, y con el rabillo del ojo vi cómo se escondía tras un arbusto y me miraba. Además de bañarme desnuda, me gusta que me contemplen y más si los mirones son otoñales y caducos. Cosas del morbo, que no tienen explicación.

Hice caso omiso y seguí bañándome. Incluso forcé

posturas y escorzos para que viera todo lo que una puede ofrecer, que es mucho. Cuando perdió el equilibrio, acudí en su ayuda haciéndome pasar por inocente sorprendida. Me puse el vestido, pero mi cuerpo mojado se pegaba a él y todo se transparentaba.

Aquel hombre estaba a punto del infarto. Noté que le gustaba. Me transmitió una ternura difícil de explicar. Hasta me pareció simpático y gracioso, con lo soso que es. Cuando se marchó cojeando y ruborizado, iba más angustiado de alma que de piernas.

Mi padre es hombre de campo, con moral antigua, y protesta y me advierte cuando me visto provocativa. Me divierte ver cómo me miran los hombres, cómo desvían sus miradas disimuladamente a mi pecho, que no lo tengo grande, pero sí libre y altivo.

Al marqués se le empina hasta la glotis cuando habla conmigo. Y me quiere. Me quiere de verdad. Lo oculta para no herir el orgullo de su madre y la susceptibilidad lógica de mi padre, su empleado. La vieja odiosa no soportaría que su hijo mantuviera ningún tipo de relación con la hija de un guarda. Pero él me quiere, y yo... me dejo querer.

Por lo pronto, mucho ha cambiado. Me paga la matrícula, un Colegio Mayor en Sevilla, las clases particulares de inglés y alemán, y me envía todos los meses del curso cien mil pesetas para mis gastos. Y Tomás dice que es un tacaño.

Quizá ha encontrado su personalidad perdida, su ego escondido. Porque conmigo es tímido, pero ameno, y me habla de todo, y me ofrece consejos y confidencias, y me oye. Sabe oír y escuchar. A mí me pone cachonda saber que le gusto, y cuando estoy con él me muevo a propósito para que se me abra la blusa y me vea los pechos, cuando no me siento para que adivine —lo tiene tirado— el camino hacia su ilusión prohibida y pecadora.

Tomás es mi cómplice, aunque no creo que apruebe mis relaciones. Flora me anima, Ramona me trata como si fuera su hija y don Ignacio el capellán no me puede ver ni en pintura.

Yo, a dejarme ir y llevar. Con inteligencia y frialdad se consigue casi todo. Pero hay que medir los pasos. En Sevilla tengo un compañero de curso que me gusta. Es de mi tiempo y nos entendemos. Pero no me divierto con él lo mismo que con el marqués. Este Sotoancho es un bicho raro, porque a pesar de su edad, quizá gracias a mí, es como un adolescente que nace y se abre a otra vida. Esa vida soy yo. Con mi compañero de Sevilla me acuesto cuando me apetece —a él le apetece siempre— y me apremia la fogarada. Con el marqués me turbo al notarlo turbado.

Lo repito, a dejarme ir. Si la marquesa desapareciera, el marqués se lanzaría. Yo le provoco para que sea más hombre, más decidido, menos calzonazos. El camino es muy claro. Estudiar en Sevilla, venir a La Jaralera los fines de semana, e ir agitando el fuego del marqués en espera de su volcán encendido. Y no renuncio a nada. A nada de nada.

Don Ignacio

Me llamo Ignacio Zarrías Martínez. Tengo sesenta y nueve tacos, nací en Cardeñosa, provincia de Ávila, y me ordené en el sacerdocio hace treinta y ocho años. Llevo una década de capellán de La Jaralera. Habito y hábito, si me permiten el ingenioso juego de palabras. Vivo muy bien, y mi habitación en esta casa es la misma que utilizaba el cardenal Segura, arzobispo de Sevilla, cuando se daba una vuelta por aquí.

Mi salud es quebradiza por culpa de mi afición a los dulces y las féculas. Ramona, la cocinera vasca, me trata con afecto y generosidad. En esta casa se come muy bien, se duerme muy bien, se vive muy bien y no se hace nada de nada la mar de bien. Mis obligaciones son reducidas. Una Misa diaria, un Rosario con la marquesa, y la bendición de la mesa antes de las comidas y las cenas.

La principal oveja de mi rebaño es, naturalmente, la señora marquesa, cuyo temperamento y carácter me convierten en un santo hijo de Dios. Me paso una gran parte del día junto a ella, aconsejo su conciencia, atempero sus prontos, y suelo acabar el día hasta las narices. Todo sea por la salvación de mi alma, porque la suya no lo tiene claro. El marqués, su hijo, me acepta desde la distancia. Ella es creyente devota y ferviente, y él participa de todo desde el escepticismo. Personalmente no me cae bien, y creo que soy correspondido. Me duele que, a mis espaldas, me llame gorrón.

Tomás, su mayordomo, abomina de mí. Y tampoco

cuento con la simpatía de Flora. En el caso de Tomás, la cosa es más grave. Desde que la señora marquesa se precipitó por un barranco por un descuido mío, que Tomás interpretó como voluntario, me trata con excesivo recelo. No tengo otro futuro en esta vida que seguir aquí a la sopa boba y esperar a que Dios me llame.

No me gusta nada Marisol, la niña del nuevo guarda. Ha vuelto del revés a todos los hombres de La Jaralera, y los provoca con sus vestidos indecentes y su manera de ver las cosas. Al que más y peor influye es al marqués. Una arribista, una desvergonzada y una pecadora.

Si me echaran de esta casa me harían una faena de las gordas. Aquí tengo todo lo que se necesita para ser feliz a medias, que es la felicidad terrena. Claro, que si la señora marquesa se marchara pronto con Dios, no me importaría. Es más, lo estoy deseando.

El Cigala

José González Ortega. Me llaman el Cigala por la color de la piel. Tengo treinta y siete años, y he sido palmero, agradador de ricos, vendedor de naranjas, contrabandista de tabaco, banderillero de plaza pobre, puntillero, jaleador, capitalista taurino, secuestrador de la marquesa de Sotoancho, y ahora, aspirante a enamorar a Flora, la doncella y ponebaños de la marquesa, que está muy bien. Me he llevado al huerto a todo lo que se ha puesto por delante de mí con dos piernas. Con dos piernas de mujer, claro, que a mí los mariquitas me dan igual aunque no los comprenda. Y Flora, por la que también suspiran Tomás y Lucas, está coladita por mí. Lo cierto es que soy bastante gracioso, oportuno y chispeante, aunque algunos no entiendan mi sentido del humor. La Guardia Civil, por poner un ejemplo concluyente. Plagio poesías y se las endiño a Flora diciéndole que son mías. Ahí le gano la partida a Tomás y a Lucas.

Me he llevado al huerto a todas menos a Flora. Mi empeño es sólo ése. Un reto, una obsesión, una escalada arriesgada en pos de una cima que me quita el sueño.

Ramona

Ramona Bizcarrondo Iruretagoyena. Cincuenta y cinco años. Natural de Zumárraga, Guipúzcoa. ¿Qué hago aquí, en La Jaralera, tan lejos de mi casa y de mi gente? Trabajar de cocinera en casa del marqués de Sotoancho, al que mi hijo Iñaki llama «Sotoantxo».

La marquesa, a pesar de su carácter, me trata bien. Me ignora —apenas me ve—, y el marqués es amable. Hace mejor tiempo en La Jaralera que en Neguri, donde también serví de cocinera en casa de una familia bien venida a menos. Una familia de las de siempre.

Soy, quizá, la única de la casa que trata con afecto al pobre capellán. Le hago buñuelos y dulces, y aunque tengo entendido que está enfermo de diabetes, ¿qué mejor muerte que la producida por vocación?

No soy brusca ni cortante. Soy vasca. Mi valle es triste y cimarrón, pero bellísimo. Hayas, castaños, robles y fresnos. Verde de tantos verdes que da pereza pensar. Y largos inviernos de lluvia y frío. Por eso soy así, como mi tierra. Y aquí vivo bien.

Margarita Restrepo Olivares «Marsa»

Nací en Santa Fe de Bogotá (Colombia) hace treinta años. Mis padres fallecieron en un accidente de aviación cuando era casi una niña, y me encontré, con toda la naturalidad del mundo, con una inmensa fortuna. En Armenia y Pereira tengo varias estancias, alguna dedicada al ganado y otras a las plantaciones de café. Me crié entre capataces y andariegos, y aprendí a conocer y amar a la gente de nuestro campo. Pero un tío mío, hermano de mi padre, decidió que mi posición era merecedora de otro tipo de educación, y me envió a Londres, Madrid y París para refinar mi cultura. Estoy muy buena, que se me había olvidado. Y como estoy muy buena, soy simpática, graciosa y políglota —lo mismo hablo un inglés perfecto que la jerga de los recolectores—, he dejado miles de corazones rotos en la cuneta de mi camino.

Los años pasados en Inglaterra, España y Francia me pulieron. Estudié idiomas y arte. Me enamoré, en señal de buena educación, de un inglés, de un español y de un francés, a los que despaché cuando me apercibí de que los tres, más aún que de mi encanto y belleza, estaban enamorados de mis posesiones. Murió mi tío, y fui nombrada consejera del Banco de Bogotá.

Me casé dos veces. La primera con un hombre educado y cortés, fogoso y macho, llamado Oscar Rubén Cañizares. No quise saber demasiado de su trabajo, pero era rentable. Una tarde lo ametrallaron en Medellín y me enteré de que era conocido como «Cocafina». Renuncié a la herencia que me correspondía porque mi fortuna es tan grande como limpia. Pero me costó olvidarlo, porque fuera de sus manejos era un tipo divertido y vividor, loco como cabra, siempre positivo.

Mi segundo marido, que aún vive, es todo lo contrario. Un celoso tamaño baño. Inhóspito, desconfiado y pesadísimo. No me enamoré; simplemente me nació en su presencia mi impulso de madre, porque es como un niño. Se llama Simón Bolívar Gutiérrez Eichmann, y mucho me temo que su madre sea hija de un alemán muy rubio que vino a Colombia después de la Segunda Guerra Mundial. Porque Simón Bolívar, de estar callado, parecería de Nuremberg. Acabé harta de él y nos divorciamos. Le di una buena cantidad de dinero, pero es muy correosón, y me advirtió que si me casaba por tercera vez «balacearía» a mi nuevo marido. Y es muy capaz.

Cuando me aburro, viajo. Lo hago sola. En Portugal elegí un hotel, el Albatroz, que está en Cascais, un pueblillo pesquero cercano a Lisboa. Una noche en el bar, conocí a un personaje fantástico. Estaba como una cuba, bebía sin parar y tenía un mayordomo que de cuando en cuando entraba en el bar y le daba noticias. Se sentó a mi lado y no hizo falta que utilizara mis trucos para saber de él. Me lo contó todo. Hasta que no había hecho el amor con mujer alguna a pesar de su edad.

Me conmovió. Era como un hombre de otra época, y eso a las colombianas nos gusta mucho. Un tímido caballero andante con escudero y todo. Me habló de su casa, La Jaralera, y de su madre, su padre, su vida, su aburrimiento, su fortuna... y de Marisol. Me pareció una locura lo de Marisol, pero lo dejé estar. Al día siguiente almorzamos en un restaurante de Estoril y por la tarde me lo llevé a la piltra. Quise probarlo. Lo malo es que, incomprensiblemente, sentí por él una pasión verdadera, entre maternal y hembrera.

Y él, lo mismo de lo mismo. Habló con su madre, rompió sus relaciones con Marisol, y me ofreció ser la novena marquesa de Sotoancho, o sea, su mujer. Estalló la guerra. La niña Marisol se comportó correctamente —seremos muy buenas amigas—, pero la madre... Hasta utilizó el más miserable de los trucos para suspender mi boda por lo civil. Todo llegará, y cuando llegue, se darán ustedes perfecta cuenta de lo bicho y anaconda que es esa señora.

Papa Juan Pablo II

Mi protagonismo en este libro es limitadísimo, y no voluntario. Por ello declino la oportunidad que me brinda su autor de presentarme.

EL MILAGRO

Una negligencia de don Ignacio, un despiste —otra cosa no pudo ser—, sirvió para que Mamá protagonizara un milagro de los que no admiten dudas. Pero no quiero adelantarme a los acontecimientos. Voy a calmar mis nervios, serenar mi espíritu y narrarles el hecho. Si la Iglesia no fuera tan remisa en proclamar santidades, en lugar de Mamá hablaría de santa Cristina Hendings, marquesa viuda de Sotoancho. La marquesa santa. Así de sencillo.

Mamá quedó muy impresionada después de ver un reportaje en la televisión sobre el hambre en el mundo. Ella es así, y su reacción fue tajante:

—En solidaridad con los necesitados voy a hacer un sacrificio. No andaré en seis meses. Susú, que me compren una silla de ruedas.

Cosas de los santos. Como lo dijo, lo hizo. Le compramos la silla de ruedas y Mamá dejó de andar. El problema mayor recayó en don Ignacio.

—Padre Ignacio, usted será el encargado de empujar mi silla durante el período de mi sacrificio.

A don Ignacio la noticia le turbó. Y no era para menos.

En los diez primeros días don Ignacio perdió más de quince kilos. Le temblaban las corvas, sufría vahídos y se acostaba sin cenar, del agotamiento. A Mamá, la santidad le había devuelto a la niñez, y no paraba.

«Don Ignacio, lléveme a la albariza, que llevo veinte años sin visitarla»; «Don Ignacio, quiero ver el lago, el Guadalmecín y el puente de los plumbagos»; «Don Ignacio, súbame a mi cuarto»; «Don Ignacio, bajemos al jardín».

Tomás me lo avisó:

—A don Ignacio le queda muy poco de vida, señor marqués.

No les he hablado nunca de la Barranquilla de la Jineta. Es una zona de La Manchona, la más bravía. Todo quebradas y gargantas, como la finca de Baviera que atraviesa la vía del AVE. Cuando Papá y Mamá eran jóvenes, montaban a caballo por la Barranquilla y mi madre le tiene un cariño especial.

—Don Ignacio, hoy por la tarde, cuando se alivie la calorina, que es muy sofocante, me va a llevar a la Barranquilla de la Jineta.

La expresión de don Ignacio no tengo maestría literaria para describirla.

En la parte trasera del Land Rover subimos a Mamá con su silla. Los carriles de La Manchona no son fáciles y para llegar hasta la Barranquilla tuvimos que sortear toda suerte de obstáculos. Al fin en la cumbre, don Ignacio estaba literalmente traspuesto.

—¿Quiere un poquito de agua, padre? —le preguntó Mamá.

—A las doce en punto, como todos los domingos

—respondió don Ignacio, completamente grogui y hablando sin sentido.

Tomás bajó el Land Rover hasta el sopié, en tanto que Mamá, empujada por don Ignacio, inició el descenso por el carril oeste. Yo iba detrás, cerrando la comitiva, siempre presto al auxilio. Pero no pude reaccionar a tiempo. Cuando la cuesta más se pronuncia, don Ignacio soltó la silla de Mamá, y ésta se precipitó a toda velocidad cuesta abajo.

—¡Por fin! —murmuró don Ignacio, ignoro con qué intención.

Mamá era un bólido. De golpe, lo inevitable. La silla, con Mamá sentada —no podía romper su promesa—, se perdió barranco al fondo. Un ruido espantoso. Un estruendo de hierros pulverizados. La tragedia.

Con el corazón hecho añicos y saliéndome por la boca, corrí desaforadamente hasta el lugar de la catástrofe. Ahí abajo se adivinaban los restos de la silla. Ningún rastro de Mamá. Cuando ya iniciaba mi llanto irreprimible —esta vez sí podía llorar—, la voz de Mamá se oyó cerca.

—A ver si me sacáis pronto de aquí, Susú, que no soy una piña.

Ahí estaba Mamá, sonriente y bizarra, en la copa de un pino.

Milagro. Don Ignacio lo corroboró.

—Señora marquesa, esto ha sido una llamada divina. Dios le ordena que vuelva a andar.

Ante aseveración tan documentada, Mamá abandonó su sacrificio. A los diez días, don Ignacio había recuperado la mitad del peso perdido. ¿Negligencia? ¿Despiste? En mi opinión, un milagro.

Convalecencia

Rescatar a Mamá de la copa del pino fue más que complicado. Don Ignacio no para de llorar, se golpea el pecho y me pide continuamente que le perdonemos. O mucho yerro o sufre de la conciencia. Entiendo perfectamente su hastío, su cansancio y hasta su locura. Empujar la silla de ruedas de Mamá a sabiendas de que Mamá no tiene nada en las piernas es muy duro. Pero también lo es el espectáculo estremecedor de ver a una madre despeñarse por la Barranquilla de la Jineta, y tras oír el estrépito del impacto, contemplar en el fondo del abismo, allá en la más recóndita oquedad de la garganta, la silla destrozada. Gracias al poco peso de mi madre, pudo aterrizar en la copa de un pino sin que el árbol se quebrara. Pero don Ignacio, quiérase o no, y se mire por donde se mire, es el responsable directo del drama. Según Tomás, que lo hizo adrede.

—La señora marquesa ha sobrevivido a un intento de asesinato, señor marqués.

—No quiero oírte esa barbaridad ni en broma, Tomás.

—Yo vi cómo don Ignacio quitaba los frenos de la silla y engrasaba las ruedas.

—Lo haría por esforzarse menos.

—Sí, ya, ya, ya, señor marqués.

Mamá convalece de los golpes. A los ochenta y siete años cualquier magulladura es preocupante. Se lo ha tomado con buen humor.

—Ahora entiendo a las torcazas y a las tórtolas. Es precioso ver las cosas desde la copa de un pino. Lo que me parece raro, rarísimo, es que don Ignacio no haya venido a visitarme. El pobre debe de andar muy preocupado con su incompetencia. Dile que venga, Susú.

He buscado al presunto criminal —según Tomás— en sus aposentos. No quiere hablar con nadie. Se pasa el día rezando con los brazos en cruz, rechazando los alimentos y gimiendo de manera exagerada. Cuando me ha visto entrar en su cuarto, ha saltado del susto.

—¡No lo quise hacer, Cristián! ¡Créame!

—Nadie le acusa de nada, don Ignacio. Sólo de despegado. Mi madre echa en falta su presencia y su interés por su salud.

—Ahora mismo voy, Cristián. Temía que no me perdonara el fallo. Me entró una blandura de manos y no pude controlar la silla.

—Lo que tiene que hacer es dar la cara, dejarse de bobadas y acompañar a Mamá, que creo que se lo merece.

—Ahora mismo, Cristián. Lo que tarde en quitarme los ocho cilicios que me he puesto para mortificarme.

—Nada, nada, don Ignacio. Con los cilicios puestos. A Mamá le va a dar una alegría muy grande.

BARCA.

—Es que ocho cilicios son muchos cilicios, Cristián.

—Y una madre encima de un pino es mucha casualidad, don Ignacio.

Golpe en el mentón. Mi irónica observación ha dejado a don Ignacio sin respuesta. Con los ocho cilicios puestos, dando alaridos, me ha acompañado hasta el cuarto de Mamá. Al ver su estado y comprobar su buen humor, se ha tranquilizado.

—¡Ya era hora, don Ignacio! He llegado a creer que estaba usted huyendo de mí.

—Por Dios, señora marquesa, no diga eso. Al revés. Estaba huyendo de mí por el horrible fallo cometido.

—Dios me ha echado una mano y no ha pasado nada. Pero le encuentro con muy mala cara.

—Lleva ocho cilicios encima en señal de penitencia, Mamá.

—Hace muchos años que no era tan feliz con una noticia, don Ignacio. Gracias por sufrir por mí.

Allá los he dejado. Don Ignacio, hecho unos zorros y Mamá, encantada de la vida y de su odisea. No creo a Tomás, pero este hombre, o es más listo que los demás o tiene a Lucifer de inquilino corporal.

—La ha querido matar, señor marqués.

—Tomás, ni una palabra más. Asunto zanjado.

—De acuerdo, señor marqués, pero la ha querido matar. Su café ya está frío.

—Retíralo, Tomás. Me voy a La Albariza. Quiero perderme... ¿Tú crees de verdad que don Ignacio es capaz de...?

—Sí, señor marqués. Recuerdos a los patos.

—De tu parte, Tomás.

EL SITIO

Todo ha vuelto a su sitio. Mamá ha encontrado el suyo, lo mismo que don Ignacio y Tomás, aunque éste sigue mascullando. Yo también. Después de la tempestad viene la calma, que dicen los aficionados a los refranes. Aires de mayo, calor creciente. Sevilla azul de flores de jacarandá. Uno solo tenemos plantado en La Jaralera, y cada mayo pienso —y sueño— con la recoleta de los magnolios convertida en un bosque tropical de jacarandás y buganvillas. Pero llega junio, mueren las flores azules y me olvido de los jacarandás hasta el año siguiente. No entiendo por qué dura tan poco tiempo la belleza rabiosa de la naturaleza. La flor de la jara, la flor del jacarandá, la flor de la glicinia. Quizá el equilibrio.

A mí la primavera me entusiasma, pero algo me asusta de ella. De abril a junio, ignoro la razón, se me escapa alguna que otra pedorreta. El médico de casa, que no sabe nada de nada, dice que es culpa de la fruta primaveral. Es muy desagradable, y humillante en grado sumo. No avisa, y cuando menos se espera, ¡pumba! Me consta que esta desgracia mía se comenta con pitorreo en la zona del servicio, y que Tomás es el culpable. Manolo, el chófer, se chivó un día que estaba enfadado con Tomás.

—Señor marqués; su mayordomo canta en la cocina una copla que es la rechifla general.

Me la recitó. Mortificante a más no poder.

La primavera en Sevilla
nace en la feria de abril,
que es cuando al señor marqués
le retumba el popurrí.

A mí no me hace ninguna gracia, pero tampoco es para tomar medidas extremas. Tomás ignoraba el nivel de mis conocimientos hasta que un día tuve la oportunidad de devolvérsela con papel y lazo de regalo. Renqueaba y me interesé por el motivo.

—Un mal golpe que me he dado en salva sea la parte, señor marqués.

—¡Ah, sí, en el popurrí! —exclamé divertido.

Se puso más blanco que un alhelí con anemia.

Con Mamá no hablo del asunto. Ella conoce mi drama, porque ya de niño lo padecía. Curioso inicio y curioso final. A partir del 15 de junio, se callan las pedorretas. Pienso que podría tratarse de una alergia rara, de una manera escandalosa que tiene mi organismo para protestar por algo. A mi padre le hacía gracia mi tormento, y Mamá ponía las cosas en su sitio:

—Ildefonso, no te rías, porque eso le viene a nuestro hijo de tu familia.

Mamá se refería a un tío de Papá, Cuscús Valeria del Guadalén, que en una audiencia con don Alfon-

BARCA

so XIII, en pleno salón de Gasparini, al cuadrarse para dar el taconazo se fue por detrás con tal estrépito, que Su Majestad creyó que se trataba de un atentado.

—Perdón, Señor —farfulló mi tío con el sonrojo alicatado hasta el techo.

—Enhorabuena por tu poderío, Cuscús —le dijo el Rey para quitar hierro al asunto. Pero al día siguiente lo sabía toda España. Y era por mayo, para mayor coincidencia con mi tragedia personal.

Empieza el trasiego de los ánsares, de nuevo hacia el norte de Europa. Pero en los álamos vuelan las oropéndolas, que tienen una voz prodigiosa, algo así como «pitoliú, pitoliú». Parece que cantan en catalán. El macho es amarillo fuerte —lo que los franceses llaman *jaune vif*—, y la hembra, más discreta de plumaje, de un amarillo verdoso, que los franceses definen como *jaune-vert*. Me gusta la primavera porque ejercito mi francés, que durante el resto del año descansa en el lugar más recóndito de mi cerebro.

Gus me ha acompañado a pasear. En la chopera del sotillo, la umbría invitaba a un alto placentero. Me he sentado sobre la hierba, fresca y jugosa, mientras *Gus* perseguía a los rayos de sol que se filtran por la fronda.

En un álamo, una pareja de oropéndolas. Espectáculo prodigioso de luz y de sonido. Al incorporarme para seguir la marcha, ¡patapum, pumba, patapum!, un trallazo alérgico. *Gus* ha ladrado y las oropéndolas han huído despavoridas, vuelo arriba va, hacia los encinares.

Menos mal que no me acompañaba Tomás.

El regalo

Marisol, la hija de Lucas el guarda, ha vuelto de Sevilla. Todo aprobado, y con nota. Si alguien le dice a mi abuelo que la hija de uno de sus guardas iba a estudiar Arquitectura, le da un telele. A mí, no. Me encanta que Marisol estudie, y que tenga un título tan difícil, porque hacer casas y que no se caigan no está al alcance de cualquiera. Mamá no lo sabe, pero a esta niña le pago yo por los bajíos de la enagüilla todos los gastos. La he metido en un Colegio Mayor de respeto, y recibe clases diarias de inglés y de alemán. La quiero como si fuera mi hija, pero rechazo mis sentimientos paternales. En el fondo, la quiero con todos sus inconvenientes humanos, y no me atrevo a reconocérmelo. Tiene mérito Marisol, y Lucas su padre, que se quedó viudo por una mala pata. La gente humilde se muere por cosas que a nosotros ni nos rozan. La madre de Marisol se fue en un parto prematuro, por una septicemia, y dejó a Lucas viudo y a su hija, huérfana. Este Lucas es de lo que no hay, y hago lo posible, que es bastante, para que gane más que el resto de los guardas. Un hombre que se queda solo con una hija, joven y simpático, casi analfabeto, y que educa a Marisol como lo ha hecho, merece más que un premio.

Ha vuelto Marisol y esto ha cambiado. De golpe, todo luces, todo resplandor, todo armonía. Está más hecha, de caja y palabra, de paisaje y de forma de ser. Tomás, como siempre, punzante y desagradable.

—A usted se le cae la baba con la niña, señor marqués.

Y tiene razón. Pero no hay caso. Le saco a Marisol cuarenta años, y Mamá nunca me permitiría tener amores con la hija de un guarda. ¡Qué más da! De tener permiso, ella jamás se fijaría en mí como hombre. Lo que me duele es lo del permiso, lo de la autorización. ¿Quién es Mamá para obligarme a nada? Y si me obliga, ¿por qué vive tanto? Si soy como soy, si tengo a mis sesenta años estos ramalazos nuevos de hombre posible, es porque Mamá no me ha dejado ser de mi edad nunca en la vida. De haberlo sido, lo de Marisol sería una degeneración. Pero como jamás fui joven, ni estudiante, ni libre, ahora me siento atrapado por una obsesión recién nacida que me vuelve loco. Por eso, cuando Tomás me dice «a usted se le cae la baba con la niña, señor marqués», yo bajo la cabeza, murmuro algo y me callo. Me callo porque no puedo darle la razón, que la tiene del todo.

Me ha traído Marisol de regalo una corbata. Muy atrevida y nada adaptable a mi personalidad. Es de un color difícil de explicar, más lila que morada, con unos dibujos estampados que representan a un lince, más naranja que amarillo, sentado sobre una hierba más negra que verde. Un lío de corbata. Pero me la he puesto, porque su ilusión es la mía, y su recuerdo mi felicidad.

—Susú, esa corbata me muerde —ha dicho Mamá cuando he acudido a saludarla.

—Es el siglo veintiuno, que irrumpe también en mi estética —le he contestado para turbar un poco su seguridad.

—Pues si el siglo veintiuno es como esa corbata, que Dios me llame pronto, porque no lo voy a soportar.

A décima de yema, a punto he estado de quitármela. Pero no. De aquí no paso. Que se fastidie Mamá si no le gusta mi siglo XXI. Está tan segura de sí misma, que no ha sabido responderme cuando le he replicado:

—Pues que Dios te oiga, porque no pienso quitarme esta corbata en quince días.

Ojos de trucha, barbilla de urogallo, quietud de puma hembra subida a la rama de un ombú para precipitarse sobre su merienda. Soponcio callado. Indignación sonora.

—¡Susú!

Y yo tan tranquilo.

—¿Qué, Mamá?

Duermo con la corbata a mano. La acaricio. Me parece elegantísima, original, y muy a juego con todas mis camisas y chaquetas. Marisol encantada de vérmela, y yo más de que me la vea.

Cosas del campo y de la vida. Mamá no comprende, o no quiere enterarse de nada. Al fin y al cabo, de enterarse, nada sería el resultado. No por mi culpa, por la suya. Sólo por la suya.

LA PRIMERA COMUNIÓN

Hoy se ha celebrado la ceremonia de la Primera Comunión de Lolecitas, la hija de Fermina la costurera. Como siempre, Mamá le ha regalado un crucifijo de plata, un libro sobre la vida de algunos santos, un yo-yó y dos mil pesetas. Además ha pagado el desayuno, que ha tenido lugar en el jardín del servicio. Ha armado un poquito de bronca porque han vuelto a plantar geranios, que son sus flores menos queridas. Dice que de un geranio puede salir en cualquier momento una bailaora y ponerse a taconear. Pepillo el jardinero le ha asegurado que mañana no queda un geranio en toda La Jaralera, y se ha tranquilizado un poco. Lo malo es que al enfadarse, según ella, ha pecado, y se ha tenido que confesar con don Ignacio, retrasando la Primera Comunión. El retraso ha sido la consecuencia directa de más de un mareo por parte de los invitados. La gente ordinaria se desmaya mucho con las emociones, los disgustos y los ayunos. Al final todo ha pasado y Lolecitas ha hecho su Primera Comunión divinamente, con una devoción y recogimiento que ha gustado tanto a Mamá que le ha añadido otras mil pesetas de regalo.

Yo le he dado una bicicleta, que le ha hecho más ilusión que el libro de los santos y el yo-yó. Una bicicleta con toda clase de artilugios, excepto el que más me gustaba a mí cuando era niño. El estuche con los parches. Las bicicletas de ahora, con esas ruedas tan gordas y dibujadas apenas pinchan, y no las venden con estuche de parches. La bomba de aire preciosa, de color azul, y una especie de cantimplora. Puesto a hacer gastos le he comprado también un casco, aunque a Mamá lo del casco le ha parecido un derroche:

—Te has pasado con el casco, Susú. Ha tenido que costar un ojo de la cara.

Pero a Lolecitas le ha encantado, y Fermina estaba feliz.

En el desayuno han cantado y todo. Los invitados no han dejado ni una miga sobre la mesa. Cuando han iniciado el canturreo, Mamá se ha despedido y retirado a descansar. Yo me he visto obligado a quedarme, por cortesía de anfitrión, y me lo han agradecido mucho. Marisol casi no me ha mirado en toda la mañana y me temo que algo no le ha gustado. Cuando se enfada, ni me mira, ni me habla, ni me sonríe, ni nada. Puede ser que le hayan venido sus cositas de mujer, que cambian mucho el carácter de las jovencitas. Le pediré a Flora que se entere.

El sermón de don Ignacio, bastante frío. No se lleva bien con Fermina desde el día que le arregló mal la sotana de paseo. Según Fermina, que era imposible que diera más de sí, y que en lugar de la sotana, lo que había que arreglar era la gula de don Ignacio. El capellán lo tomó como una impertinencia y se la juró a la costure-

BARCA

ra. Hoy se la ha devuelto a costa de la pobre Lolecitas. Transcribo su homilía al pie de la letra.

«Amados hermanos: Hoy nos hemos reunido para acompañar a Lolecitas en su Primera Comunión. Así sea.»

La verdad es que no se lo ha pensado demasiado y ha resultado gélido. Terminada la ceremonia, Fermina ha contraatacado con éxito:

—Don Ignacio, gracias por su brevedad, porque a usted Dios no le ha llamado por el camino de la oratoria.

El semblante de don Ignacio lo decía todo, pero no sólo se ha tragado la ofensa, sino la mitad de los bollos del desayuno.

La fiesta ha ido bastante bien hasta que se han puesto a cantar lo de «Sevilla tiene un color especial». Cuando se principia así se termina con varias tandas de sevillanas, y eso es demasiado para mi cuerpo. He besado a Lolecitas, me he despedido de Fermina y sus invitados, he mirado a Marisol sin obtener respuesta y me he largado a casa, donde Mamá me estaba esperando con una carita más especial que el color de Sevilla.

—Como sigas regalando cascos no llegamos a finales de mes, Susú.

EL PRACTICANTE

—Buenos días, señor, cielo nublado que amenaza lluvia. Al campo le vendrá de perlas.

—Buenos días, Tomás; ya es hora de que caigan unas cuantas gotitas. Prepárame el baño, por favor.

—Ahora mismito, señor. ¿Le digo al practicante que suba?

—¿Qué practicante, Tomás, de quién me hablas?

—Del practicante, señor. Según he entendido, la señora marquesa viuda desea que el señor marqués reciba un tratamiento de choque vitamínico por vía intramuscular.

—¿Y desde cuándo mi madre toma este tipo de decisiones sin mi autorización?

—Desde siempre, señor marqués, si me está permitido recordárselo.

Sencillamente indignante. A estas alturas de mi vida, inyecciones de vitaminas a traición. He adoptado la medida que se espera de quien es la máxima autoridad de esta casa.

—Tomás, dile al practicante de mi parte que por

donde ha venido, que se vaya. Y que no se te ocurra chivarte a la señora marquesa.

La temperatura del agua, divina. Da gusto bañarse sin prisas. En plena faena, Tomás de nuevo.

—Señor, el practicante insiste en sus intenciones. Me ha sugerido la conveniencia de que usted colabore, pues de lo contrario se vería obligado a recurrir a la señora marquesa.

—Bueno, que espere. Esto lo arreglo yo en dos minutos. La toalla y la bata, Tomás.

—No se ha lavado el pelo, señor.

—No estoy para pequeñeces, Tomás. La toalla y la bata. Voy a hablar con mi madre.

Mamá estaba desayunando en su cuarto. Nada más verme se ha apercibido de mi estado de máxima excitación.

—Es por tu bien, Susú. He leído en una revista que a tu edad es fundamental la vitamina C. Por eso he llamado a Moreno, el practicante. Te sentará divinamente.

—Me niego a ponerme esa inyección, Mamá. Me encuentro fenomenal, no necesito para nada más vitamina C y además, me horrorizan las inyecciones.

—De acuerdo. No te puedo obligar. Pero hasta que no te pongas la inyección, Moreno se quedará en casa. Le diré a Flora que le prepare un cuarto. Si quiere instalarse su familia, que lo haga también. Y ahora déjame, que tengo que rezar por las misiones del Sudán.

Durante la comida, la tensión se mascaba en el ambiente. Don Ignacio se ha mostrado algo mohíno, porque tiene que compartir su cuarto de baño con Moreno y su mujer. Mamá ha estado de dulce con el matrimonio Moreno.

—Tienen todo a su disposición, y váyanse acostumbrando a vivir aquí, porque pueden pasar años hasta que mi hijo se convenza de que todo lo que se hace es por su bien.

Mi postura ha sido la del silencio permanente. Ni una palabra. Hay que demostrar quién es el que manda.

Por la tarde, cuando estaba leyendo un libro de poesía, Tomás me ha anunciado la llegada de los seis hijos del matrimonio Moreno, que también se instalan en la casa. Lo he notado porque gritan una barbaridad y hacen un ruido insoportable.

—¡¡¡Vamos a jugar al escondite!!! —han ululado al unísono. *Gus* como una pila. Por el ventanal he seguido el desarrollo del juego. Uno de los niños se ha escondido en un rododendro, y casi lo ha tronchado. Otro, el más ordinario, le ha lanzado una pedrada al pobre *Gus*, que se ha refugiado en el garaje. Una de las hijas se ha subido la falda, se ha bajado las braguitas y ha hecho pis al lado del magnolio grande. Me rindo. Tomás ha respondido a mi llamada.

—Tomás, dígale al practicante que estoy dispuesto a pincharme. Pero que se vaya después con toda su asquerosa familia.

A los pocos minutos ha llegado Moreno.

—Una lástima que se haya entregado, señor marqués. Mi familia y yo estábamos muy cómodos aquí.

Silencio total por mi parte.

—Túmbese en el sofá y bájese los pantalones. Tranquilo, tranquilo. No haga fuerza, deje blando el glúteo, esto no duele nada, piense en otra cosa («¡ay!»), ¿le ha dolido? ¡Ya está! Ha sido usted un valiente, señor marqués.

Se han ido los Moreno. Mi glúteo derecho se resiente. Mamá está feliz y don Ignacio ha respirado. Pero me siento mortificado, escocido y a punto de saltar. Todo sea por mi salud.

—Tomás, un whisky.

—Señor, hoy no puede beber. Está contraindicado.

—Tomás, ¿te atreverías a tirarle del moño a mi madre?

—Nunca, señor.

—Me siento solo, Tomás.

—Todo se arregla, señor, le traeré aquí la cena. Descanse, que mañana será otro día.

—Me duele el culo, Tomás.

—Ofrezca su dolor por las misiones del Sudán.

—Fuera de mi vista, Tomás.

—Ya sabe dónde encontrarme si desea algo, señor marqués.

EL PADDLE

Mamá siempre sorprendente, inesperada, nada confusa.

—Susú, si queremos que venga José María Aznar a La Jaralera, tenemos que hacer una pista de paddle.

—Es que no queremos, Mamá.

—Tú no, pero yo sí. Ya he hablado con Redondo, el constructor, y mañana empieza. No pongas dificultades, hijo, que los tiempos no están para bromas.

Reconozco mi desconcierto. Hacer un paddle en La Jaralera es tirar el dinero por la borda. Mamá, la última raqueta de tenis que tuvo en sus manos era de la época de Lilí Álvarez y Manolo Alonso. Creo que jugó un campeonato social en el Real Club de Tenis de San Sebastián, haciendo pareja con la condesa de Pomar, allá por los años veintinueve o treinta. Jugaron contra una Satrústegui y una Urquijo, y perdieron. «¡Redy!», anunciaba Mamá antes de sacar. «¡Merde!», gritaba la Pomar cuando hacía doble falta. Y así, entre pitos y flautas, fueron derrotadas en la contienda.

Yo no he jugado al tenis en mi vida, y al paddle, menos. Haciendo un somero repaso de la gente que vive en casa, no encuentro a quién pueda disfrutar de ese derroche. Mamá no tiene edad para esas tonterías; don Ignacio, por arribista que sea, nació de una familia demasiado humilde como para aprender a jugar al paddle, y además es diabético, hipertenso, congestivo y colérico. Será muy sacerdote, pero muy capaz es de tirarle la raqueta a la cabeza de Aznar en cualquier momento. Y yo, no tengo la menor intención de dar saltos y carreritas a mis años. ¡Para saltos y carreritas estoy!

Y encima ¿quién nos garantiza que Aznar va a venir a jugar a La Jaralera? En La Moncloa tiene un paddle muy aparente, y no se va a hacer seiscientos kilómetros para darle gusto a Mamá. Además, a mí Aznar me da miedo. Es capaz de nombrarme ministro en cualquier momento sólo para fastidiar y dar la sorpresa, y yo no quiero ser ministro de nada.

Para colmo, Redondo el constructor, es un estafador que no ha visto una pista de paddle en su vida. La última obra que hizo en La Jaralera fue una piscina para los niños de nuestra gente, y se le olvidó el desagüe. Como para invitar a Aznar a jugar al paddle en casa, que venga Aznar y se encuentre con una pista sin red. Tras meditar los pros y los contras del proyecto, he acudido al salón de los rezos. Ahí está Mamá. Parece un urogallo en estado de alerta.

—Mamá, ya sabes que para mí tus deseos son órdenes, pero tienes que renunciar a tu idea. Un paddle en La Jaralera pega menos que un porche en un iglú.

Le ha divertido mi semejanza porque ha movido la comisura izquierda de la boca. A Mamá le encantan mis salidas ingeniosas.

—Estoy de acuerdo contigo, hijo, pero si no hace-

BARCA

mos un paddle, Aznar no va a venir nunca a casa. Y no podemos echarnos atrás, porque ya le he mandado la invitación.

En situaciones como éstas, lo mejor es agarrar al toro por los cuernos. He subido al despacho del cuarto de los libros y he escrito una carta personal a Aznar. Le comunico que a Redondo le ha salido un apañito mejor y nos ha dejado con la pista a medio hacer. Estoy seguro de su comprensión. En el sobre he pegado tres sellos de doscientas pesetas, para que llegue antes.

—Tomás, esta carta tiene que salir pitando para Madrid.

—Yo mismo la llevo a Correos, señor.

Tomás, cuando quiere, es así de estupendo.

Cosas de la gente mayor. Lo de Aznar ha sido una excusa. A Mamá le ha entrado un arrebato de recuerdos, un calentón de la memoria, y ha querido volver a sus tiempos de tenista. Se le pasará el berrinche. Se olvidará de su proyecto y todo seguirá como hasta ahora, la mar de bien, divinamente. Y yo podré seguir al frente de esta casa, que da mucho que hacer, que no se puede abandonar, y que para ser ministro hay decenas de aspirantes.

—¡Redy! ¡Merde! —Eran otros tiempos.

EL SPRAY

Tomás, al entrarme el desayuno, me ha saludado con una buena noticia:

—Buenos días, señor. Marisol ha vuelto. Ha aprobado todo y ya está de vacaciones.

He intentado disimular mi alegría, la dulce sorpresa.

—No estoy para esas cosas, Tomás. Me preocupa mucho más el debate en el Parlamento Europeo sobre las subvenciones a la naranja española.

—A usted le importa menos la naranja española que a mí la Semana Grande de Bilbao. No me engañe, señor marqués.

Lo cierto es que tiene razón. Me he bañado en un santiamén, a todita pastilla, y cuando me he topado con Mamá mi saludo no ha sido pausado como es de costumbre.

—Buenos días, Mamá.

—Susú, ¿adónde vas con esa aceleración?

—A ver los naranjos, Mamá. Hoy en Europa se decide su futuro y nuestro dinero.

—Me dejas de una piedra, hijo... pero anda, después me cuentas.

No me ha preguntado por el bulto que se aprecia en el bolsillo izquierdo de mi chaqueta. Se trata de un spray que me ha regalado mi primo Moby, y que según él es tan infalible como milagroso. Lo compró en Amsterdam, en la Feria del Erotismo. El spray se llama «Kiss me» (Bésame), y tiene poderes mágicos. En sus instrucciones se lee que no ha fallado jamás. Es un producto fundamental para los hombres tímidos e inexpertos que no saben cómo inciar una relación amorosa con una mujer. Aprovechando cualquier distracción de la mujer amada, se aprieta el botón, y el líquido pulverizado que emana de su pitorrín actúa de tal modo sobre la mujer, que ésta, sin previo aviso y con una vehemencia extraordinaria, te besa apasionadamente. Lo tenía reservado para Marisol, y ha llegado el momento de probarlo.

Ahí estaba, donde siempre. A orillas del Guadalmecín, quizá esperándome.

—Hola, niña, ya sé que has aprobado todo.

—Mucho cotilla hay por aquí, señor marqués.

—¿Te quedarás todo el verano en La Jaralera?

—No lo sé. He pedido una beca para hacer un curso en Londres.

—En Londres, en verano, los cursos no sirven para nada —le he dicho para quitarle las ilusiones.

—No puedo perder el tiempo. Tengo que aprovechar mi vida y todas las oportunidades que me vayan surgiendo.

Mal asunto. Si Marisol se quiere marchar a Londres, sus razones tendrá. Está guapísima. El pelo claro, casi rubio, le ha crecido un palmo. Mira mejor que an-

tes, con más profundidad, y creo que me domina. Curioso lo de esta chiquilla. Hija de un guarda y con tanto poder sobre mí. De pronto me ha sonreído.

—Siéntese a mi lado. Sea lo que sea, muchas gracias por todo. Por el Colegio Mayor, por las clases de idiomas, por los profesores particulares. Si suspendiera, no me lo perdonaría por usted.

He intentado decirle algo, pero no me ha salido nada. Mudez absoluta. No tengo remedio. Bueno... y me he acordado del spray milagroso.

Mientras Marisol me hablaba, su mano izquierda se había posado de forma naturalísima sobre mi rodilla derecha. He sacado el tubo, y cuando ha mirado hacia el río, pulsado el botón. Mareante aroma a pétalo de rosa.

—¿Qué es eso, señor marqués? —ha preguntado Marisol mientras me arrebataba la prueba del delito.

No he sabido responder. Me muero de vergüenza. Entonces Marisol ha leído las instrucciones y se ha puesto a reír.

—¿Y todo esto para que yo le dé un beso?

Y más risas, y yo más colorado que el alcalde de Marinaleda.

—A usted le han engañado, señor marqués. Para que una mujer bese a un hombre sólo es necesario que quiera hacerlo. Y yo quiero. Mire.

Con una dulzura que no existe, con una naturalidad que no se ha inventado, con una suavidad que Dios no conoce, Marisol me ha besado. Lo ha hecho porque ha querido, y segundos después, sonriente, se ha incorporado, y tras mirarme de nuevo, me ha dado la espalda y se ha marchado campo arriba, hacia su casa. Me tiemblan las piernas, y sobre todo, el alma.

Al llegar a casa me he vuelto a topar con Mamá.

—¿Qué tal los naranjos, Susú?

—En su sitio, Mamá. Y con naranjas. Me importan un bledo las naranjas. A propósito, Mamá. Estás engordando. Se te ha formado una papada horrorosa. No quiero que me llames Susú. Si lo sigues haciendo, yo te llamaré «Chuchurri» delante del servicio. Esto está cambiando, Mamá. Comeré solo en mi despacho. Me aburre tu conversación con don Ignacio. Hasta luego, Mamá. Y acuérdate de lo de «Chuchurri». Y de la papada. Tienes mucha papada. Pareces un pavo. Sí, Mamá, lo siento. Un pavo. Hasta luego, Mamá.

¡Yabadabadú!

EL CÓLICO

Mis relaciones con Mamá, algo tensas. No olvida lo de la papada y la comparación con un pavo. Me volví loco y se lo solté. No obstante me ha perdonado sin excesivo esfuerzo. Me quiere demasiado y ha entendido que lo mío fue una niñería, una travesura a destiempo.

—En efecto, señor marqués, a los sesenta y dos años, las travesuras son muy chocantes.

Tomás, que no deja pasar la ocasión de zaherirme. Pero así como Mamá me ha perdonado, el que no lo ha hecho es don Ignacio, del que reconocí que me aburría su conversación. Está receloso, poco receptivo y muy distante. También se ha apercibido de ello Tomás.

—El capellán está de morros con usted, señor marqués; le ha dolido lo de «cura tostón».

—Ya se le pasará.

La comida, muy desagradable. Mamá casi sin hablar y don Ignacio resoplón y poco comunicativo. Ha sonreído por primera vez cuando Flora ha aparecido con una bandeja repleta de tocinos de cielo.

—¡Tocinitos! —ha gritado el hombre de Dios con

indescriptible ilusión. Y se ha tragado seis. Tomás me ha guiñado un ojo, como diciéndome «¡caray con el cura!». Un bandido, este Tomás.

El café, sosísimo. He aprovechado la modorra de Mamá para comerme una uña de las buenas. Una uña con trapío, de las que no abundan. Don Ignacio, a todas éstas, se ha levantado sin previo aviso y ha justificado su intento de ausentarse:

—Con su permiso, voy al excusado.

A Mamá la frase le ha dado muchísimo asco y ha abierto los ojos.

—Vaya a donde tenga que ir, pero no nos lo anuncie. Y tú, hijo, deja de masticar esa uña, que te vas a quedar sin dientes.

Y me la he tenido que tragar.

Ya don Ignacio de vuelta, la conversación se ha animado. Mamá ha leído que van a canonizar a la madre Maravillas, a la que conoció siendo niña. Cuando principiaba el relato de su conocimiento, don Ignacio ha vuelto a incorporarse, con expresión de urgencia.

—Perdón —ha musitado, un segundo antes de desaparecer.

—Para mí, que don Ignacio está de colitis.

Mamá ha fruncido el ceño, con repulsión antigua. Tomás, que retiraba el café, se me ha acercado para susurrarme al oído.

—Cagalera olímpica, señor marqués.

A los diez minutos, don Ignacio de nuevo. Mamá le ha mirado con cierto reparo. Nada más sentarse, ha saltado como un corzo asustado e iniciado una alocada carrera hacia la puerta.

—Perdón, perdón, que se me ha olvidado una cosa.

Mamá se ha atrevido a dar un diagnóstico:

—Los tocinos de cielo.

Hemos llamado al médico, que le ha recetado un astringente para detener el correntío, y arroz blanco bien hervido.

—Eso le pasa a usted por pecar de gula —le ha animado Mamá en el mejor momento—; a la próxima me chivo al obispo.

Don Ignacio, avergonzado y atenazado por los retortijones, no ha sabido responder. Se ha limitado a ulular mientras se incorporaba de la cama y corría hacia el cuarto de baño del corredor, segunda puerta a la izquierda según se llega de la escalera principal. El doctor, optimista.

—Mañana estará mejor. Pero mucho me temo que don Ignacio no va a volver a comer tocinos de cielo en su vida.

Se lo tiene merecido, por heliogábalo, por incontinente, por avaricioso y por gorrón. Hemos abandonado su cuarto a toda prisa, por si las moscas. Mamá, tajante:

—Si no mejora mañana, al hospital. Todo, menos tener en casa a un cura con diarrea.

Por fortuna para don Ignacio, el astringente ha triunfado. Tres días se ha pasado comiendo arroz y jamón de York.

—Me está saliendo su colitis por un ojo de la cara, don Ignacio —le ha dicho Mamá a modo de reproche.

El pobre no ha podido responder. Está triste, se apoya en un bastón, tiene mala cara, ha adelgazado y nunca más comerá tocinos de cielo. Se lo tiene merecido, qué caramba.

EL NOVELISTA

—Tomás, he decidido escribir una novela en la que yo seré el protagonista.

—Será muy interesante, señor marqués. Su vida ha sido muy intensa.

—Y azarosa y difícil, Tomás. Y llena de peligros.

—Eso sobre todo, señor marqués.

—Y muy variada.

—Mucho, muy variada.

—Y si me apuras, ejemplar.

—Ejemplar en todos los sentidos, señor.

—Si tú no me conocieras tanto, ¿leerías mi novela?

—Con avidez, señor marqués. Y si ganara un poco más de lo que gano, después de leerla, la encuadernaría.

—No hace falta que la encuadernes, Tomás.

—Me lo figuraba, señor marqués.

—Voy a saludar a mi madre. Prepárame papel y pluma. Pasearé un poco por el lago y la albariza para renovar vivencias y recuerdos.

—Lo tendrá todo dispuesto, señor. A propósito, creo que sería conveniente y respetuoso que acudiera a saludar a la señora marquesa viuda con la bragueta abrochada.

—¿No ves, Tomás? Todos los novelistas somos unos despistados. El arte nubla las normas.

—Abrocharse la bragueta no es una norma, señor marqués. Si acaso, una saludable, civilizada y estética costumbre.

—Papel y pluma, Tomás.

Mamá algo distante. Don Ignacio todavía no ha sanado de su colitis galopante y permanece en su cuarto bajo la vigilancia de Manolo el chófer. Mamá se lo ordenó de esta guisa:

—Manolo, si el capellán intenta salir de su cuarto con esa asquerosidad de infección que tiene, puede usted hacer uso de la fuerza.

El cura se ha arrugado y ahí está, a régimen de arroz y jamón de York. Pero Mamá sigue dándole vueltas a lo de su papada. La conozco mejor que nadie.

—Mamá, he decidido escribir una novela.

—Nunca has sabido escribir, hijo. Dedícate a otra cosa.

No entran sus palabras en el ámbito de la amabilidad y el maternal aliciente.

—Lamento discrepar contigo, Mamá. Escribo con mucha soltura y tengo magníficas ideas. La novela se titulará *Nunca me gustaron los caballos ni los toros*. Es un título llamativo y comercial.

Mirada de desprecio, resignación de párpados, dedos a las cuentas del rosario y silencio absoluto. Allá ella.

Tras el paseo, que me ha venido muy bien —pero no he visto a Marisol, y eso me inquieta—, me he entrado en el despacho. Tomás ha dispuesto todo. El es-

Capítulo I
El caballo es
BARCA.

critor ante el reto del papel en blanco. Terrible soledad. Después de varios minutos esperando la idea, la fuente de la inspiración ha brotado de la roca. «Capítulo 1. El caballo es un animal del que siempre desconfió Roberto. A Roberto tampoco le gustaban los toros, ya fueran de lidia o de carne. Un abuelo de Roberto fue empitonado por un toro cuando apenas contaba con veintidós años de edad, y aquello le dejó una marca imborrable.» Debo descansar. Creo que he empezado muy bien la novela, con gancho y fluidez. He llamado a Tomás.

—Tomás, te voy a leer algo del primer capítulo de la novela. Si te apetece, puedes sentarte.

Se ha acomodado en uno de los sillones del despacho y he procedido a la lectura del párrafo inicial. Cuando he terminado, he mirado a Tomás, que según su costumbre, ha mostrado una impasibilidad nada cordial.

—Muy bueno, señor marqués.

—¿Lo dices de verdad, Tomás?

—De verdad de la buena, señor. Si tuviera que definir ese principio, lo haría de «impactante».

—Gracias, Tomás. Déjame solo que tengo necesidad de continuar. Las ideas me asaltan y las palabras fluyen a borbotones.

El segundo párrafo lo he terminado poco antes de comer. Dice así: «Roberto quería mucho a su abuelo, y éste le regalaba con sumo agrado toda suerte de juguetes. Era tan grande la compenetración entre uno y otro, que no hacía falta que pronunciaran palabra alguna. Se entendían con sólo mirarse a los ojos.»

Esto va sobre ruedas. De nuevo, timbrazo y la presencia de Tomás.

—Informa a la señora marquesa viuda que no la acompañaré en el comedor. Tráeme algo frugal, que no embote las ideas. Una tortillita de jamón, y un café.

De nuevo solo. Mirada al techo, la mano temblorosa, la escritura rompiente. Tengo que meter al cielo y a la tormenta. Una novela sin tormenta no tiene sentido. Ya lo sé: «Salió Roberto al jardín sin reparar que el cielo, negro zaino, anunciaba una terrible tormenta.» Bien, Cristián, bien. Sigue, sigue...

BAJO EL TILO

Bien desayunado, recién vestido y dispuesto a dar el paseo, Tomás ha irrumpido, alteradísimo, en el despacho.

—Una desgracia, señor, una desgracia.

No finge, y se le nota afligido.

—Siento darle una mala, malísima noticia, señor marqués.

Con una madre a punto de cumplir ochenta y ocho años, lo peor siempre se espera. No obstante he experimentado un choque anímico, un estremecimiento de tristeza, un vaivén nublado de memorias infantiles.

—Tomás, la muerte siempre llega, y más cuando el tiempo está vencido. Que Flora la prepare, y que la capilla ardiente se instale en el comedor, con el ataúd justo en el medio, para que también en el velatorio la mitad de su cuerpo descanse en Cádiz y la otra mitad en Sevilla. Que don Ignacio se disponga a oficiar una misa de *corpore insepulto*, y que a ella asista todo el personal de La Jaralera. Cuando todo esté a punto, me avisas. Y ahora, Tomás, déjame solo. Mis relaciones con

Mamá no eran óptimas últimamente, pero ahora que me falta siento en mi alma el mazazo brutal de la pena.

Tomás no se ha movido de su sitio, y ha permanecido con el pesar en el rostro y la color ausente.

—Señor, quizá me he explicado mal. La señora marquesa viuda se encuentra perfectamente. Pero no *Gus*. La camioneta de la tienda le ha atropellado en el camino de las chumberas. *Gus* ha muerto, señor marqués.

Mi mejor amigo, mi perrillo muerto... Esto sí que es un golpe inesperado. Me observa Tomás que el conductor no ha podido evitarlo. Que en la curva del galope —la llamo así porque anunciaba con la polvareda que Papá volvía a casa en plena galopada—, *Gus* se ha metido debajo de la camioneta. No ha sufrido. Cuando le han socorrido, ya estaba muerto, con un terrible golpe en la cabeza. Se entretenía mientras me esperaba para el paseo. Estaba haciendo tiempo para saludarme, como todas las mañanas, moviendo el rabo, saltando, corriendo y anunciándome con su mirada que era feliz conmigo, con mi compañía.

No quiero ver su cuerpo. Prefiero figurármelo vivo, adelantándose a mis pasos en el puente de los plumbagos, levantando bandos de perdices, olisqueando con su trufa las madrigueras de los conejos. Debajo del tilo. Quiero que descanse para siempre bajo el tilo que plantó el bisabuelo en el límite del jardín. En primavera y verano, cuando cae la tarde, huele a San Sebastián o a Santander, y me devuelve a los años de mi niñez solitaria. Y cuando el calor aprieta y vence sobre el campo, la sombra del tilo se mantiene fresca y acogedora. En otoño se desnuda, y en invierno parece que se muere. Pero los árboles no se dejan derrotar, y apenas cinco días de sol en

BARCA.

marzo, y el tilo se cubre de yemas y nos confirma que no tiene intención de desvancerse. Bajo el tilo, confundiéndose con sus raíces, *Gus* se sentirá bien. Y yo tendré cerca su materia, y su alegría se confundirá con las ramas del árbol. Cuando corría, *Gus* elegía la sombra del tilo para descansar y recuperar fuerzas. Así no perderá su sitio, ni en mi cariño ni en su tierra.

Lucas, Tomás, Pepillo, Flora, Ramona y Marisol me han acompañado. *Gus* ha sido enterrado cubierto por una especie de manta que lleva su nombre. Lo han depositado suavemente, con infinito cuidado, evitando un despertar imposible. Queda el manchón de tierra, pero muy pronto crecerá la hierba y todo volverá a la normalidad. Marisol se ha colgado de mi brazo, y ha llorado en silencio. A mí me gusta que las mujeres lloren en silencio. Y que los hombres lloren en silencio. Si mi madre dice que llorar es de pobres, allá ella. Yo he llorado como no lo hacía desde niño. Era mi mejor amigo, el único que me daba todo sin pedirme nada.

No sé pasear sin él. He llegado hasta el puente y me he vuelto a casa. Bajo el tilo, el manchón sepia de la tierra que cubre el descanso de mi perrillo. En el salón, Mamá y don Ignacio, con la misma expresión de aburrimiento de siempre. Don Ignacio preguntando por la hora de la comida, y Mamá sin hacerle caso, a su aire, tan tranquila.

—Antes de comer, lávate las manos, que los perros muertos contagian muchas enfermedades.

Así es mi casa.

PRODIGIO

Tormenta de verano. Un remolino, una trenza de viento ha derribado un álamo. Tormenta seca y relampagueante. Mi pobre *Gus* se habría asustado de lo lindo. Trallazos y fogaradas, y el cielo negro como un miura zaino. Corneador y rompiente. De golpe, la luz, el sol de nuevo, la tranquilidad. Mamá, que estaba asustadísima con los rayos, rezando a más no poder y encomendándose a san Francisco de Borja, que es el santo de mejor familia de todos los santos, ha respirado tranquila cuando el tiempo se ha calmado. Y ha interpretado el fenómeno natural a su manera:

—Hijo, llama a Pitita Ridruejo, porque esto me huele a milagro.

Don Ignacio no ha querido intervenir. Se ha limitado a recomendar reflexión y análisis.

—Sinceramente, señora marquesa, creo que se ha tratado de una tormenta pasajera, y que no hay base, argumentos ni pruebas para pensar en un prodigio divino.

—Usted se calla, don Ignacio —le ha reprendido Mamá con santa virulencia.

—A Pitita, hijo.

—No sé su teléfono, Mamá.

—Que te lo den en Información.

—De acuerdo, Mamá. Lo que tú dispongas.

En Información no han sabido encontrar el teléfono de Pitita Ridruejo, ni por Ridruejo, ni por Pitita. La gente es rarísima. Se llama de una manera y se registra con otro nombre. Cuando se lo he hecho saber a Mamá, se ha puesto como una pantera de Java, que según tengo entendido son las más proclives al malhumor.

—Pues llama al arzobispo, o a su ayudante, y le cuentas lo que ha pasado. Y si no reaccionan, es que también ha entrado Lucifer en los despachos sagrados.

El arzobispo tiene un secretario muy ocupado, porque siempre que le he llamado estaba reunido. No sé con quién. Pero me han remitido a un telefonista muy amable que ha tomado nota de mi narración. Al terminar mi relato, el telefonista me ha preguntado:

—¿Y el milagro, cuándo llega?

Menos mal que he tenido reflejos y he podido responderle:

—El milagro consiste en que del álamo derribado por el viento, ha surgido una fuente de agua clara que mana sin parar.

—En ese caso —me ha recomendado el telefonista del arzobispado—, llame a un buen fontanero.

Mamá como una galerna. Me he acordado de las galernas de San Sebastián, ya entradito septiembre, con las mareas vivas.

—Mi fe no se rinde —ha comentado con decisión y sequedad.

Ella, cuando se pone santa Teresa, es más que santa Teresa. La conozco, y no se va a dejar derrotar.

BARCA.

Con Tomás he acudido al lugar del prodigio. En efecto, bajo el álamo derribado, transcurre el conducto para el riego del jardín. Entre Tomás y yo hemos analizado minuciosamente la situación, y tras acordar por unanimidad que lo mejor es hacerle caso al telefonista del arzobispo, y llamar al fontanero, he subido al salón a enfrentarme con la Fe.

—Mamá, se ha roto el regador.

—Ya lo veremos. Por lo pronto eres un inútil buscando teléfonos. Yo he conseguido el móvil de Pitita.

Con el dedo índice en tensión, Mamá ha marcado el número del móvil de Pitita.

—Está fuera de cobertura —ha comentado algo fastidiada. Pero ha insistido.

Esta segunda vez ha entrado en la cobertura, pero está desconectado. Buzón de mensajes.

—Pitita, soy Cristina Sotoancho. Se ha producido un milagro en La Jaralera. De un árbol derribado ha surgido una fuente de agua purísima. Llámame. Un abrazo muy fuerte.

Un día, y otro más esperando la llamada. Cumplido el tercero, Mamá ha vuelto a tomar la iniciativa. Al otro lado del hilo —ya no es correcto lo del hilo porque se trata de un portátil—, de nuevo el buzón. Al fin ha desistido.

—Me rindo, hijo. Que llamen al fontanero.

Y el milagro me ha costado setenta y tres mil cuatrocientas sesenta pesetas, sin el IVA incluido. Bueno, ésa es la cantidad que consigna la factura. Milagro va a ser que la pague.

EL MAZAZO

Todavía no alcanzo a comprender cómo he podido leer la carta sin perder el conocimiento. Mazazo brutal e inesperado. A Mamá se le ha puesto cara de trucha y ahí se mantiene, como buscando un anzuelo invisible. La carta la han traído desde El Acebuchal, y está escrita a mano por el tío Juan José. Dice así: «Querido sobrino: el motivo de esta comunicación no es otro que el de informarte que he cambiado el testamento. Me preocupa el futuro del Acebuchal, y como no veo que exista reacción por tu parte para casarte y tener un heredero, he decidido tenerlo yo. Con la Viagra, las cosas no son como antes, y todo es posible. No estoy para boditas religiosas, ni para novias de blanco y demás zarandajas. Pero hoy, mientras leas esta carta, me estaré casando por lo civil con Paquita *la Atunera*, que no pasa de veinticinco años y que me hace funcionar como un reloj suizo. Si de aquí a mi fallecimiento, Paquita se queda preñada, El Acebuchal y todos mis bienes pasarán a su dominio. Que te folle un pez. Un abrazo. Tío Juan José.»

Lo de Mamá me empieza a preocupar. No ha reaccionado aún e insiste en encontrar un anzuelo. Trucha total. Según tengo entendido, las truchas —al menos la trucha común— emiten en primavera un sonido subacuático muy parecido al «ejiiip, ejiiip» para hacerse notar en los ríos. El sonido que sale de la boca de Mamá no es exactamente el «ejiiip, ejiiip», pero podría transcribirse como «ejuuup, ejuuup», que bien puede corresponder a una especie de trucha más exclusiva. Pero de ahí no hay quien la saque.

—Mamá, ¿te ocurre algo?

Y nada. Me mira y me dice: «Ejuuup, ejuuup.»

La noticia ha corrido como la pólvora. Tomás al servirme el aperitivo, me ha mirado con divertida condolencia.

—Lo siento, señor marqués. Pero Paquita *la Atunera* está buenísima.

He rechazado su conversación con un ademán autoritario y desdeñoso. No obstante, Tomás se pone muy pesado cuando quiere.

—Mucho me temo, señor marqués, que si no la preña don Juan José, Paquita se va a buscar un potro colateral para quedarse encinta.

No se me había ocurrido tamaña añagaza, y mi nerviosismo ha aumentado considerablemente. A todas éstas, Mamá a lo suyo: «Ejuuup.»

El Acebuchal es muy apetecible. Creo que son cuatro mil hectáreas, y la casa está muy bien. Mal decorada, pero muy bien. La última vez que la visité fue con motivo de la agonía de tío Juan José, que todavía no comprendo cómo pudo salir de aquella moribundez tan acusada. Reparé en los cuadros que colgaban de las paredes de su cuarto, todos de mujeres desnudas. Y en

EJUUUP...
BARCA

su armario de los zapatos, que estaba abierto y que tenía pegadas páginas de revistas sucias con modelos como Dios las trajo al mundo. Recuerdo a una «Miss Boom Boom», que me impresionó una barbaridad.

Pero también tiene un Murillo, un Claudio Coello y muebles muy aprovechables. Un contradiós que todo ello vaya a parar a manos de Paquita *la Atunera*, hija de un pescador de almadrabas. He indagado y sabido que se conocieron en los coches de choque de la feria de Puerto Real. Tío Juan José liga en los lugares más extraños. A Juanita *la Fogosa* —su novia anterior—, la conoció en la cola de la Oficina de Empleo, cuando tío Juan José no ha trabajado nunca, ni tiene nada que reclamar y menos que solicitar en una oficina de ésas. Dos palabritas y se la llevó a casa. Y se quedó cinco meses con ella.

Tengo que poner en marcha toda mi capacidad estratégica para impedir que Paquita *la Atunera* se quede embarazada. Eso supondría el principio del fin. Puedo vivir perfectamente sin El Acebuchal, pero cuando a una persona se le dice que algo va a ser suyo, y al final se le escapa de las manos, la cosa duele. Tomás no se deja vencer por mi distanciamiento medido. Me recuerda la situación y sufro en silencio.

He dormido mal. El sueño no ha querido acompañarme. Pensar que a menos de dos kilómetros tío Juan José y Paquita *la Atunera* pasaban juntos su primera noche no me ha ayudado. Recién bañado, aún en pijama, he acudido a saludar a Mamá. Ningún cambio. Sigue de trucha.

—Buenos días, Mami —le he dicho para resultar más cariñoso.

Y me ha mirado mientras me respondía: «Ejuup.»

REVOLUCIÓN

Julio *el Rastrojero* es el empleado más rojo de La Jaralera. El pasado 13 de junio fue elegido concejal del Ayuntamiento del pueblo por el PEDS, Partido Español De Stalin. Para el PEDS, Gordillo el de Marinaleda es de derechas. Al administrador de casa, el Rastrojero le da mucho susto, porque se le encara, le saluda con el puño cerrado y le dice cosas de principios de siglo. A mí, la verdad, ni me va ni me viene. Lleva diez años en casa y su trabajo se limita a limpiar las zanjas de los caminos. Pero a Mamá, siempre tan sorprendente, le ha hecho mucha ilusión que lo hayan elegido para concejal, y ha decidido organizar una fiesta en su honor. Incluso ha mandado imprimir unas invitaciones que han sido repartidas entre todo el personal. Dice así: «La Marquesa Viuda de Sotoancho, y en Su Nombre, el Marqués de Sotoancho, tiene el placer de invitarle al Cocktail-Lunch que se celebrará el próximo 24 de julio de 1999, a las 21.00 horas en el Patio de los Jazmines de La Jaralera, en honor de don Julio Moratillos Expósito, conocido como El Rastrojero para festejar su elección como concejal por el Partido Español de Stalin. RSVP. Caballeros: Chaqueta y corbata. Señoras: Vestido de tarde-noche.»

Gran revuelo y trajín. Se lo he advertido a mi madre.

—Mamá, una cosa es una cosa y otra es otra.

—Te explicas divinamente, hijo.

—Mira, Mamá, la gente de casa no va a entender que organices una fiesta en honor de un concejal que ha sido elegido por defender que los burgueses sean guillotinados. Es más, en el mitin del último día, que se celebró en la plaza central del pueblo, dijo algo relacionado con tu cabeza y la mía. Algo así, según me ha contado Tomás, como «y un día veremos rodar las cabezas de esa pareja de tiranos».

Pero a Mamá no le ha impresionado mi discurso.

—Se hará la fiesta, Susú.

Termino de levantarme, y Tomás me ha informado que el Rastrojero desea verme. Como ya es concejal le he dicho a Tomás que le haga esperar en el despacho y que le dé tratamiento de «señor concejal».

—Antes me pego un tiro, señor marqués. Yo no le doy tratamiento a ese genocida en ciernes.

Así las cosas, me he lavado un poco menos de lo habitual, para estar a la altura de las circunstancias, y he acudido a interesarme por la visita del Rastrojero. Ahí está, de pie en el despacho, un tanto turbado.

—Salud, señor marqués.

—Buenos días, Julio, usted dirá.

—Pues digo, señor marqués, que su señora madre me ha hecho una canallada. En el Partido se han enterado de la fiesta en mi honor, y he sido expulsado fulminantemente. Por ello, he debido renunciar a mi es-

BARCA.

caño de concejal, y me ha sustituido Juan *el Matacuras*. No olvidaré jamás esta afrenta contra mí y contra el pueblo, y le juro que el día que estalle la nueva revolución, a usted y a su madre me los voy a cepillar yo mismo, personalmente, con dedicación y esmero. Se lo prometo por Stalin, por Lumumba, por Fidel Castro y por Ana Belén.

Dicha la parrafada, ha saludado puño en alto y se ha dirigido a la puerta gritando cosas muy raras. La verdad es que no me ha impresionado nada de nada.

—Julio, la cuneta del puentecillo de la dehesa habría que adecentarla un poco.

—Lo haré, señor marqués, ¡viva Stalin!

Y se ha ido.

—¿No ves, hijo, cómo tenía razón? —me ha comentado Mamá tras oír mi relato pormenorizado del debate con el ex concejal. Esta mujer es sabia. Tomás ha celebrado mucho el desenlace del enojoso asunto. El administrador casi se muere de pánico, porque he cambiado la historia y le he dicho que el primer guillotinado va a ser él. Como dice el poema de un argentino que no recuerdo cómo se llama, «sonseras, cosas del campo»...

Marisol con los ojos en blanco.

—¿Le dijo que le iba a matar y usted no hizo nada?

—Lo que oyes, niña. Mano izquierda, aguante y victoria.

Nos hemos ahorrado el copetín.

VACAS

Calor insoportable. Mamá se ha mudado ya al ala norte de casa, pero aun así este verano nos agobia. Añoro a *Gus* y me he quedado sin El Acebuchal del tío Juan José. Hay que salir de aquí, aunque sea por poco tiempo. Sin decirle nada a Mamá lo he preparado todo. Nos acompañarán Tomás y Flora. A don Ignacio que le den *fuet*, porque lleva una época de egoísmo insoportable.

—Mamá; he reservado una *suite* en el Hotel Real de Santander. Nos vamos mañana.

Me esperaba una resistencia que no ha tenido lugar.

—Gracias, Susú; nos vendrá muy bien a todos. Llevo muchos años sin ir al Real.

—¡Bravo por esa decisión, Cristián Ildefonso! Nos vendrá de perlas un cambio de aires —ha exclamado don Ignacio mientras se frotaba de gusto sus ordinarias manos.

—Usted se queda —le he anunciado con laconismo nada estudiado.

Entonces don Ignacio ha dicho lo peor de lo peor:

—¡Leches!

El viaje bueno. En Santander, la temperatura maravillosa. Paseos y excursiones. La playa del Puntal preciosa. El gasolino a Pedreña, el olor a mar del Sardinero, el prodigio del paisaje desde el paseo de Pereda. El hotel de dulce, y Mamá feliz. Hacemos excursiones, y nos acompañan Flora y Tomás, que se lo están pasando casi mejor que nosotros. Hemos ido a Potes, a San Vicente, a Comillas, a Ruiloba —este lugar me ha encantado—, a Roiz, a Vallines y a Mazcuerras. Aquí hemos comprado unos árboles en un vivero muy famoso, el de los Escalante, que no hay otro así en España. Nos mandan todo a La Jaralera. Lo único negativo, las vacas. Mamá odia a las vacas, y siempre hay alguna en el paisaje.

La verdad es que las vacas no son nada expresivas. Mamá dice que se parecen a una prima suya, Popis Hendings, que murió soltera y sin compromiso porque era horrorosa. Y sosa como nadie. Tomás no ha estado nada oportuno con su comentario.

—Están tristes porque se pasan el día tocándoles las ubres y no las besan después.

Mamá tajante:

—Tomás, a la próxima, se va a casa.

—No me refería a la señorita Popis, que en paz descanse, sino a las vacas, señora marquesa.

—Precisamente por eso, Tomás —ha sentenciado Mamá para cerrar el debate.

Otro día fuimos a Bilbao, a ver el Guggenheim.

—Está como espachurrado —dijo Mamá tras su primera impresión.

Ella es así de tronchante. Compramos para don Ignacio una medallita de la Virgen de Begoña, muy apa-

BARCA.

rente y a buen precio. De alpaca, porque la plata es ostentosa y no queremos acostumbrarle a lo superfluo. Seiscientas pesetas menos. Pero al fin y al cabo, un detalle de afecto y un recuerdo cariñoso.

Lo pasamos tan bien, que en el hotel se las vieron y desearon para ampliar nuestra estancia. Mamá desconocida, rodeada de amigas y a merienda diaria. Pero todo se acaba, y la vuelta ha estado teñida de nostalgias y memorias. No recordaba tantos verdes diferentes, y los valles escondidos, y esos pueblos tan opuestos a los nuestros, con sus casas de piedra, sus solanas floridas, sus escudos... Hablando de escudos, he comprado uno para casa. Estaba en una casona en ruinas, sobre un portalón grandioso. Diré que es de la rama montañesa de los Sotoancho. La gente se traga todo.

Calorazo a la vuelta. Al llegar a La Jaralera, hemos acudido a saludar a don Ignacio. Poco receptivo. Sigue chivado.

—Le hemos traído una medalla preciosa de la Virgen de Begoña que le compramos en Bilbao —le ha dicho Mamá con bastante efusión.

—Gracias —ha respondido con una sequedad exagerada.

Me he quedado solo en el ala sur de la casa. Tengo que trabajar. Pero me siento nuevo. Quizá, si las cosechitas no nos van mal este año, y siempre que Dios lo permita, compre una casa en la Montaña. Será mi refugio y mi descanso. Y llenaré el prado de vacas. Así no vendrá Mamá.

EL RELOJ

Lo que ha sucedido rompe cualquier esquema. Todo muy raro. Me figuro a un hombre bueno y honrado, temblando de miedo, y que al llegar a su casa le dice a su mujer e hijos:

—Uno ya no se puede fiar de nadie.

Y tendría toda la razón del mundo. Paso a relatarles.

Ha fallecido sor Dolores, una monjita de clausura muy querida por mi madre. Superada la primera impresión, Mamá ha decidido acudir a Sevilla para rendir a sus restos mortales el último homenaje de su amistad y devoción. Se ha llevado a Flora para que le haga compañía. Ella ha sido —Flora— la que me ha contado el acontecimiento, terrible y escalofriante.

Tras el velatorio, Mamá ha querido dar un paseo por Sevilla. Se sentía bien pero mal, o mal pero bien, que es lo mismo según se mire desde el ánimo. En un momento dado, un sujeto bien trajeado y con excelente aspecto, ha tropezado con mi madre, se ha excusado y seguido su camino. Pero a Mamá le ha dado la que-

mazón de la sospecha, y se ha fijado al segundo en su muñeca derecha. Le había desaparecido el reloj. Un reloj muy especial, que le trajo Papá de Zúrich, cuando mi padre viajaba a Suiza a no se sabe qué.

—¡Flora, me han robado el reloj!

Tremendo disgusto y ninguna resignación.

—Ha huido por allí.

Y Mamá se ha propuesto seguir los pasos del forajido.

En efecto, allí estaba, contemplando un escaparate. Según Flora, que Mamá no ha dudado ni un instante. Alcanzada la altura del delincuente, Mamá se ha colocado a sus espaldas, ha sacado un bolígrafo, se lo ha clavado al truhán en el riñón derecho y abriendo el bolso le ha dicho con voz de cólera contenida:

—Deposite inmediatamente el reloj en mi bolso.

El canalla, al notar el instrumento punzante en su espalda ha dejado caer el reloj en el bolso de Mamá, que se lo presentaba abierto para facilitarle la devolución. Acto seguido, como un cobarde, el hombre huyó calle arriba, rumbo a Sierpes.

—No ha nacido el que le robe el reloj a la marquesa de Sotoancho —ha comentado Mamá a Flora, que aún padecía de un tembleque de piernas agudísimo. La gente del servicio suele tener unas rodillas azoradas, nada resistentes a las contingencias imprevistas. Quizá por ello se desmayan tanto con las emociones.

En el camino de vuelta, Flora se lo ha contado a Manolo el chófer, que ha felicitado a Mamá por su valentía y coraje. Lo malo viene ahora. Al llegar a casa y subir a su cuarto, Mamá se ha apercibido de un detalle que no es insignificante para el desarrollo de este relato. Sobre la bandeja de plata de su escritorio, estaba su

reloj. Con las urgencias de la marcha, a Mamá se le había olvidado ponerse el reloj. Por todo ello, la conclusión era terrible. Aquel señor que la empujó no le había robado nada. Simplemente, por una distracción pasajera, muy de calle paseada, muy de tumulto, ambos colisionaron. De aquello se deducía que el hombre no era un ladrón. Angustiada por su proceder, Mamá abrió el bolso y se encontró con un reloj masculino de alto valor que no era suyo. El hombre —deducción de Flora—, al sentirse pinchado por la espalda e invitado a depositar su reloj en el bolso de Mamá lo había hecho sin rechistar. De ahí su fuga alocada, más de inocente asaltado que de malhechor fugitivo. En resumen: que Mamá, confundida, le había robado a mano armada el reloj a un señor absolutamente honesto y respetable.

—¿Qué vas a hacer, mamá? —le he preguntado.

—Esperar acontecimientos —ha respondido con una distancia nada elogiable—. Si en diez días no hay denuncia, me quedo con el reloj de recuerdo.

¿Cómo vamos a saber en La Jaralera si ha existido denuncia o no? Cumplido el plazo, se ha quedado con el reloj ajeno.

—Me sienta bien, y es de oro.

Vuelvo al principio. Me figuro al respetable ciudadano llegando a su casa, acalorado y convulso. Sudor frío y ataquito de nervios. Y la advertencia a la familia:

—¡Cómo está Sevilla! Uno no se puede fiar de nadie. Figuraos que una señora de unos ochenta y cinco años para arriba, bien vestida y con muy buena pinta, me ha pinchado con una navaja en la espalda y me ha robado el reloj.

Y le sobran motivos para estar así. Como a Mamá para su distracción y contento.

—Mira, Susú, tiene cronómetro y ventanita para los días y los meses.

Y ha movido el labio inferior, traviesa y juguetona.

CUMPLEAÑOS

Don Ignacio, el capellán, cumple setenta años el 18 de agosto. La verdad es que aparenta bastantes más. En mi opinión, la gula, el exceso de azúcar y su resistencia al ejercicio físico. Dice Flora que las carnes muslares le tiemblan como tocinos. Ignoro en qué circunstancias le ha visto Flora los muslos a don Ignacio, y prefiero seguir con la venda. A los sacerdotes no es fácil sorprenderlos en muslos, pero Flora es de lo que no hay.

Mamá quiere hacerle un buen regalo a don Ignacio. Tomás, al enterarse, ha estado hiriente.

—Aquí, para que le regalen algo a uno hay que fallar en un intento de homicidio.

Tomás insiste en que don Ignacio, cuando lo de la promesa de Mamá de no andar y el paseo en su silla por la barranca, fue el que la despeñó. La silla quedó hecha trizas en el sopié del barranco, y Mamá tuvo la suerte de aterrizar sobre la copa de un pino y compartir con una tórtola tan desairada situación.

—No, Tomás. Aquello fue involuntario, y don Ignacio se arrepintió y pidió perdón por su dejadez.

Pero Tomás se pone muy desagradable cuando anda de malos humores, y es muy tozudo.

—Don Ignacio le quitó los frenos a la silla de la señora marquesa, y después la empujó hacia el precipicio. Y ahora, regalitos al homicida.

En la sobremesa, Mamá le ha planteado a don Ignacio lo del regalo.

—Don Ignacio, mi hijo y yo queremos hacerle un buen regalo con motivo de su cumpleaños. He pensado en una edición muy bonita de la Biblia que he visto anunciada. Con la Biblia regalan un teléfono móvil o una almohada cervical.

A don Ignacio no le ha hecho gran ilusión el proyecto dadivoso de Mamá.

—Señora marquesa, le voy a parecer un frívolo, pero a mí lo que me hace ilusión de verdad, de verdad de la buena, es un tren eléctrico y un balón de reglamento.

Mamá, al oír tal confesión se ha quedado pasmada por unos segundos. Transcurridos éstos, ha reaccionado.

—O una cosa o la otra. Las dos, de ninguna manera. No somos los Reyes Magos, don Ignacio. O el tren eléctrico o el balón de reglamento. Elija.

Don Ignacio ha derramado el café, y después de varias oraciones interiores, se ha decidido.

—El tren eléctrico, señora marquesa.

Me ha encargado Mamá que le compre a don Ignacio el tren eléctrico. Difícil misión, por cuanto los hay de muy diferentes precios. Al final, le he comprado un «Talgo» en miniatura, y unas cuantas vías.

—¿Cómo se llama el nene? —me ha preguntado el amable dependiente de la juguetería.

—Ignacio, y es por su «cumple» —le he respondido para no verme en ningún aprieto posterior.

—¿Cuántos años cumple Ignacito? —ha insistido el persistente comercial.

—Setenta —le he informado.

—¿Es tontito de nacimiento? —ha insistido el mercader.

—No; es sacerdote.

—Se lo pregunto porque ha comprado usted el tren eléctrico más soso del mundo. Con las vías que se lleva, se limitará a dar vueltas y más vueltas sin ninguna opción de jugueteo.

—Me da igual. Envuélvalo y no se hable más del asunto.

—El cura se va a aburrir de lo lindo. Cómprele más vías.

—Para más vías están los tiempos... —he comentado con energía y rechazo.

Y me he llevado el tren. Don Ignacio ha dado brincos de alegría cuando ha visto el «Talgo».

—Me voy inmediatamente a jugar con él a mi cuarto —ha gritado feliz y mocosete.

Mamá, emocionada. A los diez minutos, don Ignacio de vuelta.

—¿Se ha cansado ya del tren, don Ignacio?

—Es que sólo da vueltas y vueltas, señora. Ni una estación, ni una recta, ni un cambio de raíles, ni un semáforo. Lo enchufo y anda; lo desenchufo y se detiene.

Yo, testigo de la decepción, en silencio.

—Eso le pasa a usted por caprichoso —ha sentenciado Mamá—. Se lo regalaremos a los pobres.

Entonces don Ignacio ha iniciado un puchero y me ha pedido el balón de reglamento.

—Cuando cumpla ochenta —ha dicho Mamá.

No se puede tener todo.

EL TROPEZÓN

A Mamá, lo que más le divierte, es que alguien se caiga en la calle. Ser testigo de un tropezón ridículo, una caída desencuadernada o de un morrón imprevisto, le pone de buen humor durante varias semanas. Cuando en casa le entra la nostalgia, o simplemente se aburre, llama a Manolo el chófer y se larga a Sevilla o Jerez en busca de caídas callejeras. Normalmente vuelve de muy mal humor, decepcionada por la falta de espectáculo, sumamente contrariada.

—La gente de ahora no se cae como antes —murmura mientras se bebe el caldito que Flora le ha preparado.

En otras ocasiones, su retorno es glorioso, y nos reúne a don Ignacio y a mí, y también a Flora y Tomás, para narrarnos el acontecimiento. He escrito, y lo recuerdo, que Mamá jamás se ríe a carcajadas, y que su expresión más hilarante se reduce a un movimiento convulso del labio inferior. Mamá se ríe hacia dentro, igual que cuando llora. Vuela mi memoria a una tarde feliz. Volvió Mamá alegre como unas castañuelas

—aunque odie las castañuelas—, y nos convocó en su cuarto de estar.

—Lo de hoy ha sido maravilloso. Una señora de mediana edad que paseaba por la plaza Primo de Rivera se ha asustado con el bocinazo de un camión, ha pegado un brinco, se ha topado con la rama de un árbol, y poco a poco, que es mucho más divertido, ha ido cayéndose con las piernas cada vez más abiertas hasta que se ha dado un culazo en la acera que ha sido el culazo más culazo que yo he visto en mi vida.

Aquella noche resultó inolvidable, y Mamá apuró cadencias y detalles, imitó sonidos guturales, escenificó la tragedia y lo pasamos de maravilla.

Hoy, a eso de las siete de la tarde, para no soportar demasiado el calor, se ha marchado con Manolo con rumbo desconocido. A las diez han vuelto, ambos con muy mala cara.

—Hijo, hay que despedir a Manolo el chófer —me ha dicho como único comentario.

—No puede ser. Manolo es un mecánico estupendo, conduce de dulce, no bebe, es prudente, arregla cualquier avería y lleva en casa más de treinta años. ¿Qué te ha hecho Manolo, Mamá?

—Me ha desobedecido y negado su colaboración.

He bajado hasta los garajes para hablar con Manolo. Ahí está, cariacontecido y receloso. Le he dado un abrazo, para infundirle tranquilidad y confianza. Me lo ha contado todo. Cuando llevaban más de una hora apostados en un lugar bastante concurrido, y en vista de que nadie se caía, Mamá decidió pasar a la acción.

—Manolo, agarre mi bastón y póngale una zancadilla a ese señor bajito que va a cruzar la calle.

—Señora marquesa, eso no es deportivo ni civiliza-

BARCA.

do —le respondió Manolo negándose a protagonizar la travesura.

—O se cae ese señor bajito o usted se marcha de casa, Manolo.

—Pues me marcho. Esto no es juego limpio.

Sepulcral silencio el de Mamá, pero, siempre según la interpretación de los hechos de Manolo, con la mirada de precipitada decisión. Dicho y hecho, ha esperado que el señor bajito estuviera a su altura, y cuando éste pasaba junto a ella, ha efectuado un disimulado escorzo alargando el bastón entre las piernas del cándido viandante. Pero no ha calculado bien, y al estirarse ha perdido el equilibrio, y el morrón se lo ha dado ella. El señor bajito, consternado, la ha socorrido, ayudado a incorporarse, preguntando por su estado de salud, ofrecido su ayuda para llevarla a un hospital, y no la ha abandonado hasta que ha visto con sus propios ojos que Mamá estaba bien, sólo alterada por su error, sofocada por el esfuerzo muelle y avergonzada, en el fondo, de su actitud. Oída la versión de Manolo, he subido a ver a Mamá.

—Papá jamás te habría permitido hacer ese tipo de trampas, Mamá.

Ha permanecido muda, cortadísima.

—Manolo me lo ha contado todo, y se queda en casa. Eres tú la que tiene que pedir perdón.

—Ya me he confesado con don Ignacio y me ha puesto dos avemarías de penitencia. Yo sólo le pido perdón a Dios.

Con el tiempo, ya en frío, le duele un costado. Se ha retirado a descansar a su cuarto. Renqueaba. No me ha mirado al besarme y la conozco muy bien. Iba avergonzada. No sé si por haber fallado, o porque la del morrón ha sido ella.

RAREZAS

Todos tenemos alguna rareza, y yo no me salvo de la anomalía común. Pocas veces caigo enfermo, que si frágil de apariencia, soy fuerte como un roble en el equilibrio de la salud. Pero de cuando en cuando, sobre todo en verano, me llegan las fiebres como a todo hijo de vecino. El solazo, el agua fría, los cambios de temperatura por el aire acondicionado... No sé, pero he amanecido con la fiebre en cumbre, y me he visto obligado a guardar cama. Y aquí surge mi rareza.

—Buenos días, señor; tiene mal aspecto —me ha saludado Tomás al entrarme el desayuno.

—Malísimo, Tomás. Estoy con fiebre y no tengo ganas de desayunar. Siéntate y cuéntame un cuento.

Mi rareza es que necesito que me cuenten historietas o cuentos cuando estoy en cama o con fiebre. Mamá apenas se sabe el de la Cenicienta, y mal. A Mamá le cae fatal la Cenicienta y se le nota su simpatía por la madre y las hijas que de continuo, la humillan. Pero Tomás, que es leído y buen narrador, cuenta las historias divinamente.

—Señor marqués; no recuerdo el último que le conté.

—Yo sí, Tomás. Fue cuando tuve gripe hace seis años. El cuento se titulaba *El gansito poco agraciado*, y era muy triste, pero de final feliz.

—Entonces, para no repetirme, le voy a contar *Capuchita violeta*, que es la mar de interesante, señor marqués.

Dicho esto, ha acercado una butaca a los pies de la cama y ha iniciado la historieta de *Capuchita violeta*.

—Érase una vez, señor marqués, una niña muy alegre que vivía con su madre en una casita del bosque. Su madre, que era viuda, tenía un compañero sentimental, su pareja de hecho, que trabajaba en la ciudad y las visitaba los fines de semana. Capuchita violeta era llamada así porque siempre llevaba una capucha de ese color en la cabeza, para no sufrir insolaciones como la que hoy tiene postrado en cama al señor marqués. Capuchita violeta le llevaba todos los miércoles una cesta con alimentos a su abuela, que vivía sola en la otra punta del bosque. Aquella tarde, su madre le había preparado unos pastelitos de kiwi, un pastel de crabarroca, un pudín de fresas y una «Bavarois» de chocolate blanco. Capuchita agarró la cesta que le entregó su madre y cantando y saltando entre las florecillas partió camino de la casa de su abuela, que más o menos tenía la edad de la señora marquesa viuda. Al llegar a un claro, Capuchita se encontró con el Lobo Estepario, le dio mucha pereza y siguió el camino. Pero a cien metros de la casa de su abuelita, le salió al paso el Jabalí Atroz, que no sólo se contentó con quitarle la cesta y comerse todas las delicias que le llevaba a la abuela, sino que la dejó pajarito de una cuchillada en plena femoral. Cuando

BARCA.

la abuela oyó los gritos de auxilio de su nieta, saltó de la cama y corrió en su ayuda, pero el Jabalí Atroz había escapado y Capuchita Violeta yacía occisa de decúbito prono y con una gran mancha de sangre alrededor de su inocente cuerpecillo. Entonces la abuela, indignada con el malvado Jabalí Atroz, soltó una palabrota irreproducible en un cuento, incluso en un cuento para un señor con sesenta y dos años, y se encerró en su casa con la tristeza que sólo siente una señora que va a merendar y se queda sin merienda. Y colorín colorado, este cuento se ha acabado.

—Me ha parecido un cuento muy desagradable, Tomás. El de *El gansito poco agraciado*, que al principio resultaba penosísimo, terminaba bien. Creo que me ha subido la fiebre con la historia de la pobre Capuchita Violeta que en paz descanse.

—Señor marqués, en la vida hay que afrontar las desgracias con serenidad. No todo termina como quisiéramos nosotros.

—De acuerdo, Tomás, pero lo que me has contado hoy es una tragedia, y aún no me he repuesto. Avisa a Marisol, quiero verla.

Se ha marchado Tomás. Ha narrado el cuento estupendamente, pero no ha tenido tacto al elegirlo. Terrible el final de Capuchita Violeta a manos del espeluznante Jabalí Atroz. Horas y horas he estado dando vueltas en la cama, pensando en la desgracia de esa pobre gente. De repente, un golpe en la puerta. Era Marisol.

—Me ha dicho Tomás que desea verme y que tiene usted la fiebre muy alta, señor marqués.

—Sí, niña. No quería morirme sin despedirme de ti.

—Usted no se va a morir, señor marqués. A propósito, su madre viene para acá. La acompaña don Ignacio. Mejor me voy y vuelvo más tarde, que pueden pensar cosas raras.

Diez segundos después de salir Marisol, ha ingresado en mis aposentos el amor maternal y el consuelo de la Iglesia.

—Has llorado, hijo —me ha dicho Mamá, siempre certera.

Entonces ha cogido el termómetro, me lo ha puesto, se ha sentado en la butaca y ha iniciado su cuento: «Érase una vez una joven muy impertinente que se llamaba Cenicienta...»

LA CONFUSIÓN

En la parroquia del pueblo tienen equivocados los datos de sus feligreses. De no ser así se habría evitado la confusión y el mal rato de los catequistas. Hace meses, el párroco, que es un cura de estos modernos, solidarios y reivindicativos sociales —lo contrario que don Ignacio, a Dios gracias—, organizó una serie de actividades para ayudar a hacer más llevadera la vida de los ancianos de su parroquia. Desde que existe el Inserso, a la Iglesia le ha dado un ataquito de celos y no deja en paz a los pochitos. Don Félix, que así se llama el hombre de Dios, es muy aficionado a la música, y a fuerza de trabajo y ensayos, ha logrado formar un grupo coral que canta fatal. Pero acude a los hogares de los ancianitos y canta para ellos. Horribles canciones, como *Una flor ha nacido en tu alma*, *Señor, que mi barca no naufrague*, o *Aleluya, Aleluya, todos somos jóvenes*, que tiene un gran éxito entre el público catecatizado. El hecho es que yo estaba hablando con Tomás cuando mi madre me ha llamado por el interfono desde el ala norte de casa, su lugar de veraneo.

—Hijo, ven inmediatamente, y trae la escopeta.

—¿Ladrones, Mamá?

—No, muchísimo peor. Catequistas.

Sin armas me he presentado a los pocos minutos en el salón de verano de Mamá, que conocemos en casa como el «Garibay», en recuerdo de un establecimiento, el Garibay Tea Room que Mamá frecuentaba cuando veraneaba en San Sebastián. La escena, estremecedora. Mamá rodeada de jóvenes con guitarras y don Ignacio enfurecido en un rincón dando la espalda al espectáculo. Los jóvenes, chicos y chicas, muy amables y saludadores.

—Hijo, pretenden cantar para mi consuelo la canción *Señor, que mi barca no naufrague*. Échalos de casa.

Los catequistas o catecúmenos son gente dura, que soporta toda suerte de vejaciones en beneficio de la salvación de almas como la de Mamá.

—¡Esta señora no necesita canciones! —ha gritado don Ignacio desde el rincón.

Pero el grupo coral, ajeno a la explosión de ira de nuestro capellán, ha iniciado la canción con enorme entusiasmo: «Haz Señor, que los remos de mi barca no se quiebren con la tempestad porque quiero llegar a tu Puerto para toda la eternidad.» De alipori. De carne de gallina.

Mamá, más roja que un tomate, carmesí como la pintura de labios de doña Concha Piquer. Don Ignacio, a punto de estallar, ha abandonado el salón. Flora, con un principio de ataque de risa. Tomás, con una expresión de sorna humillante. Y yo, sin reaccionar. Lo he hecho después de la tercera estrofa, la que dice: «Si las olas del turbio pecado a mi barca hacen naufragar no podría llegar a tu Puerto para toda la eternidad.»

—Se acabó, señores. Mi madre no necesita que na-

die le ayude para salvar su alma. Mi madre jamás ha pecado. Y según su cuaderno de notas, tiene acumulados más de cuarenta y siete millones de días de indulgencia plenaria. Así que muchas gracias. Tomás, acompaña al coro a la puerta.

Los miembros de la agrupación coral han reaccionado con estupor y posterior firmeza:

—Usted no tiene derecho a negar a una madre anciana un buen rato de esparcimiento y meditación —me ha soltado la jefa de grupo.

—En la parroquia nos han dado esta dirección, y nosotros nos limitamos a hacer el bien sin distinciones de ninguna clase.

—Precisamente por eso —ha terciado Mamá—. Yo soy la distinción, y ustedes se van de aquí o mi hijo se pone a pegar tiros.

Entonces ha mirado hacia mí y ha reparado en el detalle. Que estoy desarmado. Pero Tomás, esta vez sí, ha estado oportunísimo.

—Váyanse, que conozco a este tipo, y las apariencias engañan. Si se enfurece es capaz de matarlos a todos.

La frase de Tomás, unida a su condición de menestral, ha actuado como mano de santo. El grupo coral se ha incorporado, los músicos han enfundado sus instrumentos y muy silenciosa, pero activamente, han abandonado el lugar. Cuando me he quedado a solas con Mamá —Flora y Tomás los han acompañado— se ha mantenido el silencio durante diez segundos. Transcurridos éstos, Mamá ha procedido a dar su última orden:

—Susú, abre las ventanas para que corra el aire. Estos chicos tan buenísimos irán derechitos al Cielo, pero en la tierra dejan una peste a sudor que ¡vamos, vamos!...

Y he abierto las ventanas.

IRREPARABLE PÉRDIDA

El único familiar vivo de don Ignacio, su prima Genuflexa, ha fallecido. Hace más de treinta años que no se trataban. También los pobres tienen sus líos de herencias, que si ese terrenito, que si esa imagen de la Virgen, que si ese arcón del pasado siglo... Según don Ignacio, a Genuflexa la bautizaron así por una santa mártir de lo más rara que vivió en tiempos de Nerón. Mártir tan rara como poco eficaz, por cuanto intentó suplicando de rodillas al centurión de turno no ser enviada al circo para disfrute y gozo de los leones. Cuentan los testigos allí presentes, que el centurión se sintió tan conmovido por los ruegos de la chavea que accedió a su petición. Se creó una situación confusa, no del todo bien explicada por los escribanos de la época. «Ahora tú pasar por el aro —dijo el centurión. La santa, que no tenía mundo, restó muda en demanda de una orden más precisa—. Tú no ir a los leones, pero centurión darse gustirrinín contigo.» La santa, que empezaba a ver las cosas claras, se resistió como buena mártir que era, pero su terror a los leones doblegó su voluntad y acabó por entregarse al libidinoso e impúdico centurión. Consumado el acto, durante el cual ella evidenció una falta absoluta de experiencia y una innata sosería, el centurión la obligó a arrodillarse para dar cuenta de su vida con un magistral y certero espadazo. De ahí lo de Genuflexa.

—Pues esa santa era una guarrita —le ha dicho Mamá a don Ignacio.

Y el pobre capellán, débil por la pena, se ha puesto a llorar. Mamá inamovible en su postura.

—Don Ignacio, déjese de pucheros. Usted no se hablaba con su prima desde hace treinta años. Además yo no he dicho que su prima fuera una guarrita, sino la mártir Genuflexa esa. Una débil. Recuerde el caso de Josefina Vilaseca, por poner un ejemplo reciente. Prefirió la muerte al deseo carnal. Respecto a su prima, tampoco era para tirar cohetes. Se quedó con la herencia de sus abuelos, y si no llega a ser por mí, viviría en la indigencia. Su prima de usted era una ladrona. O sea, que pare de llorar, que ya sabe que el servicio doméstico se caracteriza por dos cosas. Que lloran por todo y que van a la playa por las tardes. Y ahora, vamos a rezar un poco por esa rufiana de Genuflexa, que en estos momentos las está pasando moradas para ser admitida en el Purgatorio.

Mano de santo. Don Ignacio ha dejado de llorar y se ha lanzado a la oración siguiendo el ritmo impuesto por Mamá, que varía mucho según sea el alma por la que ruega. Si se trata del alma de una persona conocida, Mamá reza muy despacio, recreándose en la intención. Con el alma de Genuflexa, ha sido poco generosa. Pocas semanas atrás, cuando lo de John-John Kennedy, se pasó un día completo en oración. «Tenía una facha estupenda», comentaba entre rezo y jaculatoria.

BARCA.

A pesar de todo, don Ignacio ha sido autorizado a desplazarse hasta su pueblo natal —creo recordar que Cardeñosa, en la provincia de Ávila—, para asistir al entierro de Genuflexa. Su intención, de paso, es traerse el arcón con los objetos valiosos de la familia.

—¿Me puede llevar Manolo el chófer, señora? —ha preguntado con la esperanza de una respuesta positiva.

—No, don Ignacio. Si usted pretende arramplar con el arcón y traérselo, es mejor que le lleve Severiano en la camioneta «Dos Caballos».

—Esa camioneta tiene treinta años, señora marquesa.

—Los mismos que usted llevaba sin hablarse con la difunta. Y está de dulce.

No ha podido ser de otra manera. Severiano, el encargado de la vieja camioneta, se ha llevado a don Ignacio a Cardeñosa.

—Pero en tres días, aquí —le ha recordado Mamá cuando ha puesto el motor en marcha.

Tres días no son nada. Al atardecer del tercero, amparados en el frescor dulce de septiembre, don Ignacio y Severiano han llegado a La Jaralera. En la camioneta, el arcón. Un arcón de madera repujado y barroco, espeluznante. Se lo han llevado a su habitación.

—¿Qué tal el entierro, don Ignacio? —le ha preguntado Mamá.

—Precioso, señora. He recordado los días de mi infancia.

Sospechosa la felicidad de don Ignacio. Tomás, siempre bien informado, me ha puesto al día.

—Señor marqués, la difunta Genuflexa ha muerto sin herederos. Y a don Ignacio, después de impuestos, le van a soltar treinta millones de pesetas. Ya me he chivado a la señora marquesa viuda.

Pero a Mamá no le ha importado.

—Siempre es mejor confesarse con un cura rico que con un capellán pobre.

Y ha cerrado los ojos, regodeándose en la caricia tibia del verano que muere.

EL SALTILLO

Ni un minuto más de espera. Todavía me acuerdo de su beso a orillas del Guadalmecín. He sabido por Tomás que Marisol ha vuelto a La Jaralera después de su viaje de estudios. Necesito verla.

—Tomás, recado de escribir, por favor.

Sólo unas líneas, pero concisas y directas. «Querida Marisol: te espero a las doce del mediodía en el lugar de nuestro beso. Sotoancho.»

—Tomás, llévale este sobre a Marisol, pero que no te vea Lucas.

—Señor marqués, me niego a convertirme en el mamporrero de un infanticida.

—Tomás, la quiero de verdad.

—En ese caso, aunque con recelo, cumpliré su encargo.

He dejado a Mamá con don Ignacio discutiendo acerca del Purgatorio. Mi madre sigue empeñada en no pasar por ahí cuando se muera y tiene apuntados los días de indulgencia que ha ganado a lo largo de su vida con sus oraciones. En total, a 8 de septiembre de 1999, son 687.456.117 días perdonados. Sus cosas, sus obsesiones. Un polo rioja. Pantalones beige y Sebagos de suela de goma. Tengo buen color y me favorece esta combinación. Veinte minutos antes de las doce he llegado al punto exacto de la cita. Corre triste el Guadalmecín. Apenas una hilerita de agua clara. Los álamos aún verdes y triunfantes. A las doce y diez minutos, un chasquido de ramas. Marisol.

Viene de postre de monja. Unos vaqueros ajustados, zapatillas de deporte y una camiseta blanca. No quiero fijarme más para no perder las formas. Me quema una fogarada interior. Más de un paso quiero dar. Si no un salto al vacío, un saltillo de riesgo. El sol del verano me la ha puesto rubia. Nos hemos sonreído, y a un pie una del otro, abrazado. Hierve la fogarada.

—Me ha encantado Florencia, señor marqués. Gracias por el viaje.

—No vuelvas a llamarme señor marqués. Para ti soy Cristián.

—Y también me han gustado los italianos, Cristián.

Una garra invisible se ha instalado en mi estómago. Celos rabiosos que jamás había padecido. Ella, listísima, lo ha notado.

—Pero estaba deseando volver a casa y verte.

La garra se ha soltado, el estómago ha recuperado su armonía y yo he visto abierta la esperanza.

—Marisol, lo tengo decidido. Si tú quieres, yo quiero. Si tú te enfrentas, yo me enfrento. Si tú te atreves, yo me salto todas las barreras, empezando por la social.

Me ha mirado con dulzura. Otro beso, como el de aquel día, pero más largo y hondo. Se ha tumbado. Silencio y más silencio.

—Tu madre puede matarte, Cristián.

BARCA.

—Mi madre no puede hacer nada. Soy yo el que decido, soy yo mi dueño, y mi vida es sólo mía.

El instinto, que no la experiencia, me ha nacido. Mis manos han abierto el dique prohibido, y muy suavemente, sin resistencia de su parte, la han desnudado de medio cuerpo para arriba. ¡Dios mío, qué cosa! Y un abrazo, y los dedos multiplicados por cien, y su cuerpo bajo el mío, y con todo el campo por testigo, una voz, la suya, que se ha dejado ir de su fortaleza para decir «te quiero».

—Nos van a ver —ha dicho Marisol de repente.

Quizá ha huido de ella misma para no comprometerse demasiado. Me ha vuelto a besar, ha guiado mis manos hasta sus pechos, como despidiéndolas para poco tiempo, y muy pausadamente ha alzado los brazos y se ha cubierto con la camiseta. Se ha incorporado, me ha tirado un último beso, y ha desaparecido camino de su casa. Antes, ya alzada, me había respondido.

—Si tú te atreves, yo también, Cristián.

En casa, Tomás esperándome. Seco y desconfiado.

—Su madre, la señora marquesa, ha preguntado por su paradero.

Mamá y don Ignacio, en el salón.

—Cristián, don Ignacio y yo estamos preocupados por tu futuro. Creo que deberíamos intentar de nuevo la búsqueda de una mujer decente y de buena familia, aunque sea difícil.

—Ya la he encontrado, Mamá. Cuando esté en condiciones de hablarte, lo haré.

Y ahí los he dejado, con los ojos como mochuelos y el corazón en la boca. Porque ya la he encontrado. Ahora viene lo peor... y lo mejor. Estos pantalones beige me aprietan demasiado.

EL CUADERNO

—Tomás, ¿has visto mi cuaderno de poesías?

—Sí, señor marqués. Y las he leído todas. He pasado una noche muy divertida. Se lo devuelvo inmediatamente.

Cólera de zulú. Desde que Marisol y yo dimos el primer paso me he dedicado a la poesía. Me salen los poemas divinamente y parece que Dios me ayuda a escribirlos. Dicen que a Mozart le pasaba algo parecido cuando componía sus cosillas. Además, en la cubierta de pasta del cuaderno se lee con claridad: «Sotoancho. Poesías a Marisol.» Tomás ha abusado de mi confianza. La cólera del zulú ha dejado paso al furor del artista. Ya vuelve Tomás con el cuaderno.

—Tomás, a la próxima te pongo de patitas en la calle.

—Si me pone de patitas en la calle, procederé a publicar sus poemas, señor marqués. He copiado todos.

Tensión y espesura. Tomás carece de sensibilidad y ha insistido en recordarme su desleal delito.

—Me ha gustado mucho el poema *Mientras trinaban las oropéndolas*. Es de premio, señor marqués.

Efectivamente, el poema al que se refiere mi fiel mayordomo es de los mejores del cuaderno. Dice así: «Mientras trinaban las oropéndolas / amada Marisol / yo bebía tus besos lentamente / y me quemaba la espalda por el sol.»

—No obstante, señor marqués —persiste Tomás—, necesitan de alguna corrección antes de ser entregadas al ser amado.

O sea, que además de cotilla, impertinente.

—Ignoraba que fueras crítico literario —le he soltado a Tomás con la peor de las intenciones.

—No hace falta serlo para adivinar en sus versos la elemental simpleza del poeta aficionado —me ha respondido con acritud y amargura.

—Estoy seguro de que a Marisol le van a encantar.

—Allá usted, señor marqués.

Tomás se ha marchado y he quedado a solas con mi obra. El primer poema no admite corrección alguna. Se titula *Nenúfar*. «Cuando llego hasta el Puente del Plumbago / y te veo esperando en la otra orilla / eres como un nenúfar sobre el lago / por hermosa, por pálida y sencilla.» En efecto, el poema decimotercero cae en contradicción peligrosa. Se titula *Peonía* y reza de esta guisa: «Eres, mi amor, como una peonía / que crece sola y libre, sin halagos / y carece de la cursilería / de los nenúfares que nacen en los lagos.» Así, también reconozco mensajes confusos en los poemas *Tus besos*, *Tus pechos son de nácares pulidos* y *Tuyo será el hijo que porte mi corona*. En *Tus besos* escribo: «Cuando me das, amor, tus dulces besos / me alcanza el frenesí de la locura / hasta el rincón más hondo de mis huesos.» Bellísima figuración que no se corresponde con la segunda estrofa de *Tus pechos son de nácares pulidos*: «Tus pechos son de nácares pulidos /

tus pezones, arándanos traviesos / y cuando yo los siento poseídos / me tiembla el alma, pero no los huesos.» Y en *Tuyo será el hijo que porte mi corona*, estrofa trigésimo cuarta, el poeta dice: «Cuando sea bebé nuestro heredero / y duerma en tu regazo, arrebolado / yo le diré orgulloso y altanero: / Sólo por ti a tu madre yo he tocado.»

Tiene razón Tomás. Hay que pulir los versos, hacerlos más coherentes, fortalecer su cuerpo común sin herir la belleza de su forma. No hay mal que por bien no venga, y la deslealtad de Tomás me ha abierto las puertas de la rectificación. He leído que Garcilaso de la Vega corregía mucho, y que san Juan de la Cruz, mi inspiración principal, dejaba posar sus poemas meses y meses, y sólo con la frialdad del tiempo pasado, los mandaba a la editorial. Eso sí, antes de enviarlos a la editorial se los dejaba a santa Teresa para su aprobación. Ha entrado Tomás con el café.

—Tomás, tienes razón. Voy a pulir los versos.

—Me alegro, señor marqués.

—Retiro lo de ponerte de patitas en la calle.

—Y yo lo de publicar sus versos sin su permiso.

—Me voy a dar un paseíto por el Guadalmecín. Si no llego a tiempo para la comida, me disculpas ante la señora marquesa viuda. Dile que estoy en el pueblo, arreglando unos asuntillos de papeleo.

Sigue sin llover y el sol cae a plomo. En el lago, cuatro parejas de malvasías argentinas, que he comprado para enriquecer la variedad de mis patos. Vuela un tarro canelo. ¡Qué cansancio el de las garzas! Allí al fondo, el tejadillo de la casa de Lucas. ¿Qué estará haciendo Marisol? Pudiera ser que renunciara a mis versos. Al fin y al cabo, la poesía es mi campo, mi paisaje, mi esperanza...

¡OH!

Me siento humilladísimo. O mucho me equivoco o Mamá ha puesto su maquinaria de poder en marcha. Paso a describir mi desventura. No había terminado mi café de media mañana cuando Flora se acercó a mi oreja izquierda para hacerme saber que...

—La señora marquesa viuda le reclama con urgencia, señor marqués.

—Cuando acabe con el café, acudo en vuelo rasante, Flora. Y a propósito, no me hable siempre como si fuéramos espías. Me molesta que me soplen en las orejas, Flora.

Tomás se ha unido a mi curiosidad.

—Tanta urgencia me mosquea, señor.

—En fin, Tomás. Cuanto antes sepamos el motivo de la convocatoria, mejor para todos. Me voy a ver a mi madre.

—Mucha suerte, señor. «Ojo, vista y al toro», dicho sea con el mayor de los respetos.

Mamá estaba leyendo. Los ojos chispeantes, el cutis de melocotón temprano. No pasa el tiempo por ella.

—Susú. Como no quieres decirme quién es la mujer que has elegido, no pienso obligarte a ello. Allá tú con tus reservas. Pero como madre tengo la obligación de ir preparándote para recibir el sacramento del matrimonio. Como bien sabes, hijo, el matrimonio es una promesa de amor y lealtad para toda la vida, también el árbol que procura los frutos de la descendencia, y asimismo, la única razón que justifica la culminación del acto sexual. Para ello, para llevarlo a cabo con éxito, tanto el cuerpo como el alma han de estar compenetrados y dispuestos. Me consta que tu alma no va a depararnos sorpresas negativas. Pero sí tu cuerpo, que por dejadez y hastío, no se halla en disposición de victoria nupcial. Susú, mañana te hacen la fimosis.

—¿Cóooomo? ¿Quéee? ¿Cuándooo?

—Deja de hacer ecos, hijo. Mañana te practican la fimosis, lo que antes se llamaba la circuncisión. No estás circuncidado, y apenas duele. El doctor Prieto, que es un manitas, te espera a las nueve en punto. No desayunes. Procura hacer pipí esta noche y lleva contigo la estampa de san Arturo de Capadocia, patrón de los bebés.

Ya en mi cuarto, la respiración se ha calmado. Me duelen los ancestros, las raíces, el alma y la dignidad. Una humillación de esta índole no es tolerable. Tengo que enterarme si de verdad es necesaria la intervención. Tomás puede informarme, pero debo sacarle la conversación sin que sospeche nada.

—¿Bien con la señora marquesa, señor?

—Muy bien, Tomás, una bobada administrativa.

—Me alegro, señor.

—Una cosa, Tomás. Estoy leyendo un libro muy interesante en el que se narra la oposición de un muchacho a ser circuncidado. No entiendo por qué.

BARCA.

—Me figuro, señor marqués, que por miedo a las molestias posteriores. Ahora se le llama practicar una fimosis, o sea, liberar las adherencias del prepucio para descubrir el glande. En resumen, señor marqués, poner el pito en condiciones. Duele bastante. ¿Le ocurre algo, señor?

—Nada, Tomás. Ignoraba que supieras tanto de Medicina. Mañana no desayunaré, porque tengo que salir de viaje y últimamente me mareo con el café. Estaré fuera de casa dos o tres días. Si hay algo urgente, me localizas en el Alfonso XIII. Lo último, Tomás. El muchacho de la novela se niega a ser circuncidado y al final, lo consigue.

—Las novelas y la realidad no siempre coinciden, señor marqués; además en las novelas no actúa su madre.

—Buenas noches, Tomás.

—Que descanse, señor.

—¡Ohhhhhh!

PACHUCHO

Renuncio a relatarles la intervención quirúrgica de la fimosis. Terrible y dolorosa en grado sumo. Esto no se lo perdono a mi madre, por mucho que la quiera, que ya no sé si la quiero. Madre sólo hay una, pero en mi caso parece que son veinte al unísono. Quemazón grande en el alma y en el cuerpo, muy especialmente en la parte afectada. Lo de hacer pipí, una heroicidad. Y lo peor, la obligación de mantener el tipo, de no sucumbir ante el dolor, de llevar el empaque hasta el último rincón de la resistencia.

Hoy mejor que ayer. Ya hierve menos la meadilla. Polvos de talco y pomada. Me doy bastante asquito, pero no puedo caer en la tentación de llamar a Tomás para que venga y me cure. En Sevilla, por lo demás, bien. En el Alfonso me han dado la *suite* de toda la vida y me siento como en casa. Mejor que en casa, porque aquí no está Mamá.

No quería revelarlo, pero no tengo más remedio. Uso dodotis, de quita y pon, para almohadillar mis partes e impedir roces lacerantes. Carísimos los dodotis, al menos los de talla grande. Entiendo que nazcan pocos niños, porque con estos precios no hay manera de sacar adelante a una familia numerosa. Llevo gastados un par de paquetes.

No salgo a la calle por temor a que me vean y adviertan en mis andares los titubeos del enfermo recién operado. Lo más que hago es bajar al bar y tomarme alguna copita tonificante. Mamá ha llamado en varias ocasiones, pero no he respondido. Y a Tomás le he dado un ultimátum. Si se entera Marisol de mi operación, adoptaré las medidas oportunas, que sinceramente, nunca he sabido cuáles son.

El doctor Prieto me ha citado mañana para hacerme una última cura y darme de alta. Si así ocurre, volveré al hotel. Quiero que Mamá sufra con su maldad y me pida de rodillas que olvide el agravio. Manejar la situación para que un hijo de sesenta y dos años sea intervenido de fimosis, es una perversidad que no cabe en la enciclopedia más diabólica. Huyy, otra vez el pipí. Quema como hierro candente, como lava ardiente, como cerillo en el pitirrinchi. Me gusta la palabra «pitirrinchi». Es más expresiva que pirulí, pitilín, pirulo o pitorro. ¡Ay, ay, ay! Ya está.

Un golpe en la puerta. Es el botones que me trae un recado. «Que se ponga inmediatamente en contacto con Tomás, su mayordomo.» Comunica. Siempre pasa lo mismo. Cuando hay que hacer una llamada urgente, alguien está hablando. Por fin, Tomás al otro lado del teléfono.

—Señor marqués, perdone que interrumpa su estancia en Sevilla. Se trata de la señorita Marisol. Al no tener noticias suyas, ha decidido marcharse de casa. Lucas está desesperado. No le he proporcionado su di-

BARCA.

rección, pero mucho me temo que intuya su paradero. Quería avisarle.

—Gracias, Tomás. ¿Mi madre ha preguntado por mí?

—No, señor marqués.

—Gracias, Tomás.

En efecto, a los dos minutos, llamada del conserje.

—La señorita Marisol Montejo pregunta por el marqués de Sotoancho.

A toda prisa me he incorporado. Dodotis. Pomadita. Polvos de talco. Los pantalones —¡ay, uy!—, la corbata... A toda prisa. Marisol, mi amor. Ahí está, dando vueltas y más vueltas. El beso, frío.

—¿Me puedes decir qué haces aquí en Sevilla, por qué te has largado y no me lo has advertido?

—Te lo cuento, Marisol. Ha sido una prueba de amor. Deja que te explique. Mira. Mamá...

Cuando he terminado la narración, Marisol me miraba con los ojos enrojecidos, a punto de cauce.

—Lo he hecho por ti.

Y me ha abrazado, comido a besos, llorando de amor y rabia. Mi amor, mi vida ¡ay, uy, ay! y he vuelto a mojar los dodotis.

LA BERREA

Ya estoy en casa, repuesto del todo. A Mamá y a don Ignacio, ni saludarlos. Me dice Lucas que en La Manchona, y en concreto en los alcores de Monteviejo, andan los venados de amores y trifulcas, en plena berrea. Años ha que no tiro a un venado en trance de macho, y he dispuesto que Lucas me acompañe. También vendrá Tomás, por si acaso.

La Manchona es la sierra entera. Dentro de ella hay lugares y dominios opuestos y enfrentados. Los jóvenes machos se dan lo suyo para conquistar a las ciervas, pero su futuro de gozo no es inmediato. Cuando han conseguido vencer y se creen amos y señores de su territorio, llega el gran venado y se queda con todas las hembras. Me ha informado Lucas que en los alcores de Monteviejo se ha visto al más poderoso ciervo de La Manchona, con más de veinte puntas en sus cuernas.

El rifle, a punto. Un Holland & Holland que compró Papá en Londres durante una de sus visitas. Cuando Mamá me ha visto enredado en estos menesteres de la caza, ha querido hacerse la amable para reconciliarse conmigo. Pero soy un frontón.

—Mucha suerte, hijo, y ten cuidado con el rifle.

La he mirado con distancia y no me ha salido ninguna respuesta. También don Ignacio ha intentado el acercamiento anímico.

—Suerte y tino, Cristián.

Con el capellán he sido menos amable.

—Póngame el culo para probar mi puntería, don Ignacio.

Mano de santo. Ha desaparecido en un santiamén mientras Mamá me dirigía una mirada de furia contenida.

Desde la casa hasta La Manchona, hay un buen trecho en carril. Se supera la Dehesa, se cruza el Guadalmecín y ya olvidado el sotillo el terreno se empina. A la izquierda, el sendero que sube hasta las Barrancas, donde Mamá estuvo a punto de morir despeñada, según Tomás, empujada por el cura. A la derecha, el camino hacia los alcores de Monteviejo.

El grito de amor. La advertencia a los intrusos. Un alarido de poder omnímodo ha cubierto todos los rincones de Monteviejo. El gran macho reta a quienes osen arrebatarle el placer de sus hembras. He sentido un escalofrío de angustia. Lucas me ha recomendado que adopte una postura de apache en misión de vigilancia. Me ha costado adaptarme al suelo. A dos palmos de mi nariz, una lagartija. Tomás, detrás de mí, con el termo de Fino Quinta preparado.

Ahí está. Es inmenso. Cuento y no paro las puntas de las cuernas. ¿Quizá veintidós? Nunca habitó en La Jaralera un venado de esta categoría. Debe de ser el que tenía preparado Mamá para Franco cuando ignoraba que el caudillo ya había fallecido.

—Ahora, señor marqués —me ha recomendado Lucas.

Pero no. Prefiero tenerlo vivo que muerto. Da pena matar a un animal tan poderoso. Y más aún, en momentos de fuegos internos y pasiones arrebatadoras. El fino sí; una copita nunca viene mal. Tomás ha vertido un poco del precioso líquido en el tapón de plata, que hace de vaso. Un calorcillo de vendimia y mar ha puesto a tono mi cuerpo dolorido. Agujetas seguras, con esta postura que me ha impuesto Lucas. Lo hemos estado contemplando durante horas, y ya cansados del espectáculo, hemos recogido todo para volver a casa. Al venado, mi deseo de libertad y vida.

De vuelta, hemos dejado a Lucas en su casa. Marisol no ha aparecido. Ya en el patio que da al garaje, mientras Tomás bajaba del coche todos los bártulos, he visto a Mamá en la terraza. Ni una palabra. Que se aguante. Allá ella.

—Gracias por acompañarme, Tomás.

—De nada, señor marqués. A propósito, y sin ánimo de molestarle. Si se casa usted con Marisol, dentro de unos años, señor marqués, los va a tener usted más grandes que el macho de Monteviejo.

Y en esa situación de ánimo me he dejado caer en mi cuarto para berrear mi soledad.

EL INTRUSO

Paquita *la Atunera* se ha puesto de parto. Ya saben a quién me refiero. A la esposa legítima del tío Juan José, que a sus noventa y dos años nos ha dado este disgusto. Si el niño nace, adiós al Acebuchal y la herencia del tío. No me cabe en la cabeza que un hombre a esa edad se crea que es el padre de la criatura, aunque tengo entendido que con la dichosa pastillita azul tío Juan José no ha dejado de galopar durante varios meses. De cualquier forma, aquí creemos todos que Paquita le ha dado caballa por atún, y que sólo busca la fortuna del viejo verde.

—La señorita Atunera ha dado a luz un precioso niño, que ha pesado cuatro kilogramos, señor marqués. Tanto la madre como el recién nacido se encuentran perfectamente. Creo, señor, que debería enviar unas flores a la clínica y felicitar a su tío, don Juan José.

—Tomás, ese niño es mi perdición. Es un intruso que se va a quedar con lo que me corresponde. No voy a felicitar a nadie, y menos al cerdo de mi tío. Y cambia de conversación, que no estoy para niños inoportunos.

Tomás ha sentido en su piel la herida de mi daga florentina.

No puedo comentar con mi madre el terrible suceso, porque seguimos sin hablarnos. Lo de la fimosis le va a costar caro. No obstante, me consta que ya se ha enterado. Vaga por el corredor como una sonámbula, ulula de cuando en cuando y le ha atacado el tic nervioso de la mosca invisible. Espanta moscas de su rostro que no existen y se le está poniendo la cara morada de los bofetones que se pega a sí misma. Lo tiene merecido. Dos golpes más y K.O. técnico.

Le ha hecho tanto daño a Mamá lo del hijo de tío Juan José y Paquita *la Atunera*, que de golpe y porrazo, el niño me ha empezado a caer bien.

—Tomás, avisa a Manolo. Que tenga preparado el coche en diez minutos. Me voy a la clínica a felicitar al tío Juan José y a conocer a mi querido primo bebé.

—Me parece estupendo, señor marqués. Eso es lo que se llama señorío.

Tío Juan José, al verme, ha venido hasta mí y nos hemos dado un fuerte abrazo.

—Pasa a la habitación. Paquita está dando teta al niño, pero no importa.

El espectáculo, de muy difícil superación. Paquita, en efecto, tiene una teta fuera y el niño succiona con un apetito que a mí se me antoja incomprensible.

—Mira, Paquita; ha venido mi sobrino Cristián Sotoancho.

Y Paquita me ha mirado, ha sonreído, y con dulzura de amanecer de almadraba me ha dicho:

—Gracias por venir.

—De nada, tía Paquita —le he contestado, con afecto familiar.

—Espera a que suelte los aires y lo cojes en brazos.

—¡No, no, por favor, que se me puede caer!

Pero al minuto tenía al niño en mis brazos, con una carita, un olorcito a caquita y una sonrisita de alivio que bueno, bueno, bueno, lo que me ha gustado.

—Cristián, sé que a tu madre no le va a hacer ni pizca de gracia, pero Paquita y yo queremos que seas el padrino del niño. La madrina será Lolita *la Pulpona*, una pescadora de Barbate que se portó muy bien con Paquita cuando la quiso rajar su anterior novio, Manolo *el Relojes*.

—Para mí es un honor, tío Juan José. Seré el padrino encantado.

Y más abrazos, y un beso a Paquita, y una pena muy grande cuando la enfermera se llevó el niño al nido.

—Mamá, no nos hablamos, pero te voy a decir una cosa. Mejor, dos cosas. La primera, que como sigas dándote de leches te vas a quedar en el sitio. No hay moscas, Mamá. Y la segunda, que voy a ser el padrino de mi primo, el niño de tío Juan José.

Lo que vino después no puedo describirlo. Sólo un detalle. Han llamado a una ambulancia.

EL LIQUIDÁMBAR

En la zona más fresca de la recoleta de los magnolios, el abuelo plantó un liquidámbar. Un árbol precioso, de rasgos norteños, frondoso y esbelto. De entre los árboles, el liquidámbar es un dandi, un Baudelaire estallante y romántico. En otoño, antes de perder la hoja, el liquidámbar se tinta en sangre, en rojo brillantísimo, y eso hace que Mamá le tenga manía. Cuando nos hablábamos —que seguimos en trance de separación anímica, por la faena de la fimosis y mi acercamiento al tío Juan José—, siempre me decía, llegado el otoño:

—Hijo, a ver cuándo podamos ese árbol comunista.

Bobadas, porque el liquidámbar es sagrado y se ha ganado su sitio año tras año. Me refiero al liquidámbar, porque esta mañana Tomás me ha traído el café con un sofoco facial de liquidámbar en otoño.

—Tomás, estás coloradísimo.

—Creo que exagera el señor marqués.

—El señor marqués no exagera nada. Un poco más colorado y te rompes, Tomás.

—Son cosas del amor, señor marqués. Pensaba decírselo.

Casi se me cae la taza de las manos. ¡Tomás enamorado! Le notaba raro en los últimos tiempos, pero jamás pensé que mi fiel Tomás estuviera capacitado para perder la cabeza así como así.

—Señor, como dice el Julián de *La verbena de la Paloma*, también la gente del pueblo tiene su corazoncito, y lágrimas en los ojos, y celos mal reprimidos. Todo eso me sucede, señor.

—No sigas, Tomás, que me pongo enfermo del alipori.

—Señor, me he declarado a Flora, a quien amo en silencio desde que entró a servir a la señora marquesa viuda, y me ha rechazado. Creí que se había olvidado ya del sinvergüenza del Cigala, el secuestrador.

—¿Y...?

—Del Cigala sí se ha olvidado, pero me ha confesado que ama a Lucas.

—¿A mi futuro suegro, el padre de Marisol?

—Efectivamente, señor marqués. Pero no se preocupe, que no será jamás su suegro. Voy a proceder a matarlo. Prefiero treinta años de cárcel a saber que Flora está en manos de ese ladrón.

—Tomás, no te consiento que llames «ladrón» a mi futuro padre político.

—Un ladrón y un cabrón con pintas, señor marqués.

—Tampoco es para que te pongas así.

—Voy a partirle un hacha en la cabeza. Adiós, señor marqués.

Paralizado. No podía moverme. No me importa que Tomás, en un arranque de celos, le parta un hacha a Lucas en la cabeza. Mejor no tener suegro. Pero ello

conllevaría el ingreso en prisión de Tomás, de quien no puedo prescindir. Tenía que impedirlo.

En pijama he salido. Para más señas, un pijama azul celeste con cuello y puños ribeteados en añil. Ha empezado el curso y Marisol está en Sevilla. Lucas, probablemente, se hallará en el Guadalmecín, preparando los puestos para la tirada de patos. Efectivamente, ahí está, tan tranquilo.

—Muy buenos días, señor marqués. ¿Qué hace en pijama?

—Salvarte la vida, Lucas. Tomás viene a por ti. Se ha declarado a Flora y le ha rechazado por tu culpa. Flora te quiere. Tomás está decidido a darte muerte. Lucas, huye. No quiero que Marisol se quede sin padre, ni el Guadalmecín sin guarda. Escóndete en la albariza hasta que el volcán se enfríe. ¡Corre, Lucas!

—Ya es tarde, señor marqués.

Tardísimo. Ahí está Tomás, con el rostro congestionado y un hacha del tamaño de las patillas de Curro Jiménez presta al ataque.

—Alto, Tomás. Antes me matas a mí.

Me ha salido la sangre de los Sotoancho, bizarros guerreros de antaño. Mi actitud ha calmado la criminal acometida de Tomás.

—Señor marqués, que no respondo.

Entonces Lucas ha hablado.

—Tomás, si te pones así, quédate con Flora.

Tomás se ha parado, ha dudado, dejado caer el arma asesina en el suelo, y como un niño, se ha puesto a llorar, compulsivamente.

—Lucas, sigue a lo tuyo.

He ayudado a Tomás a incorporarse y lo he llevado hasta el coche.

—Tomás, estás de los nervios.
—Es el amor, señor marqués.
—Insiste, Tomás. Todas las mujeres terminan por ablandarse ante el amor sincero.
—La quiero como un gorrión a su gorriona, señor marqués.
—Una cursileria más, y te despido, Tomás.
—Gracias por lo que ha hecho, señor.
Y un jipido. Y otro jipido. Y ya en casa, un tercer jipido. Esta casa se está pareciendo cada día más a *Falcon Crest*.

EN EL PUERTO

Mi madre y yo no nos hablamos. Tomás está enamorado de Flora, Flora de Lucas, Lucas de Ramona y Ramona, al enterarse, ha dicho que a ella sólo le ha tocado su difunto marido, y que no tiene intención de probar a un segundo. Marisol y yo estamos comprometidos, pero Mamá lo ignora. Tío Juan José ha tenido un hijo y he aceptado ser el padrino, para que mi madre sufra un patatús. Necesito unos días de descanso, y he decidido darme una vueltecita por El Puerto de Santa María, que me gusta a rabiar.

Aunque soy mayor que ellos, he llamado a Tomás e Ignacio Osborne, que llevan ahora las riendas de la Bodega. Y a Luis Caballero, de la competencia, también amigo mío, y a Tomás Terry, que se portó fenomenal con Mamá hace años, durante una feria, poniendo a su disposición un coche de caballos, y qué caballos. Los cuatro vienen a La Jaralera a tirar a los patos y a las gallaretas. El que más gallaretas ha tumbado en casa en los últimos años ha sido José Ignacio Benjumea, pero Mamá le cogió manía porque lo quería casar con mi prima Verónica Hendings, y sin avisar ni nada se casó con una Álvarez de Toledo, de Madrid, o de Ávila, que no se sabe bien de dónde es. El preferido de Mamá es Tomás Osborne, porque siempre le manda unas flores preciosas. Todavía no he dicho que a Mamá le encantan las flores.

He paseado por Vistahermosa. La playa de Fuentebravía ha amanecido rompiente y atlántica. A las once de la mañana, que más o menos es mi amanecer, estaba rompiente y atlántica, que es lo fundamental. Me he acordado de mis tiempos de niño, y con mucho cuidado, he llegado hasta la orilla con los pantalones remangados, luciendo la pantorrilla. Por fortuna no llevaba «sardinas frescués» para vender, pero le he comprado a un mariscador unos cuantos cangrejos. Después, como no sabía qué hacer con semejante compañía, los he devuelto al mar. Así aprenden, se llevan un susto y no vuelven a ponerse a tiro del mariscador.

Me ha preocupado el color de las pantorrillas. Demasiado blancas y sin vida. Llevo años y años sin someterlas al contacto del aire, y las pobres se resienten. Cuando era niño, Mamá decía lo contrario.

—Susú, que no te dé el sol en las pantorrillas que va a parecer que eres de Tetuán.

A Mamá le encantan las flores, pero no le gusta la gente de Tetuán.

A las dos de la tarde, me han recogido los Osborne en el Monasterio. Hemos comido en el Golf. Estaban felices porque nadie me reconocía. Llevaba años sin venir por El Puerto y debo de haber envejecido de lo lindo. Si mi aspecto general se parece al de mis pantorrillas, voy de cráneo. Pero algo me ha dolido. Les notaba a Tomás e Ignacio una cierta inquietud por es-

tar conmigo, como algo de vergüenza, acaso un celemín de alipori. Me han recogido a las dos, y a las tres en punto me han dejado en el hotel. Almuerzo demasiado rápido. Ninguno me ha preguntado por Mamá, lo que da a entender que no la quieren en absoluto. En eso empiezan a coincidir conmigo.

Lo peor, cuando al salir de Vistahermosa, un coche nos ha impedido salir a la carretera general. El coche era de la Policía. Se han acercado a nosotros, y tras identificarse, han procedido a cumplir con su obligación.

—Estamos buscando a un niño que se ha escapado de su casa. Su madre está muy angustiada y ha puesto la denuncia. ¿Conocen ustedes a Cristián Ximénez de Andrada y Belvís de los Gazules? Según su madre, el niño es tontito y puede hacer cualquier tontería.

Después de negar el conocimiento, nos han dejado pasar.

Pero esto no se puede tolerar. Mamá se dedica a decir por ahí que soy tontito y que me escapo. Vuelvo al principio. Si mi casa se ha convertido en una telenovela, Mamá no llega al turrón. Por éstas, que no llega al turrón.

BAUTIZO

La cita, a las ocho en punto de la tarde en El Acebuchal. El motivo, la aplicación de las aguas bautismales sobre la cabecita del hijo de tío Juan José Henestrillas y Paquita *la Atunera*, que me he enterado que se apellida Zubimendi. La gente del mar es así de rara. Paquita, que es de Barbate, como Paquirri, y que tiene la color morena y la Arabia en los ojos, y que al andar mueve el culo con cadencia de soleá, y que al tío Juan José llama «mi zementá», y que tiene unas cejas negras que parecen patillas horizontales de bandolero, se apellida Zubimendi. Para más información, Zubimendi Carrasco, que el segundo le pega más. Bueno, pues eso. A las ocho de la tarde a bautizar al niño.

Mamá se ha negado a venir. Muchísimo mejor. Ya, ni nos dirigimos la mirada. Que se quede con su cura. Tío Juan José, que no es tonto, ha invitado a Marisol. Para no dar que hablar, irá por su lado.

—Tomás, el traje gris oscuro cruzado con rayas blancas.

—¿El de gángster, señor marqués?

—El mismo; y una camisa hueso, medias negras, corbata negra con topitos blancos y los zapatos ingleses del año setenta y ocho.

—Ahora mismo le preparo todo, señor marqués. ¿Se va a duchar o a bañar?

—Baño con patito de goma, espuma de pompitas y rancheras mexicanas. Si no tienes inconveniente, cantaré *Yo tenía un chorro de voz*, *Anillos de compromiso* y *Pancho López*.

—Si me lo permite, señor, permaneceré ausente y alejado durante la interpretación.

—Estás en tu derecho, Tomás, aunque te lo pierdas.

Pancho López me ha salido muy bien. En el baño, la voz mejora. Cuando ha llegado el estribillo de «Panchoó, Pancho López, chiquito pero matón», he estado a punto de interrumpir la entonación para aplaudirme. Ya en calzoncillos he avisado a Tomás.

—Tomás, siento que te hayas perdido el *Pancho López*. Me ha salido como nunca.

—Yo no lo siento tanto, señor. Su madre le ha comentado a Flora que es usted un mal hijo.

—Ni un comentario, Tomás. ¡Viva la libertad!

—¡Viva! —ha coreado Tomás apasionadamente.

En El Acebuchal a la hora. Marisol guapísima, quizá demasiado descocada. Un hombro desnudo, y tío Juan José que no le retira su ojo bueno. Con el ojo izquierdo, tío Juan José no distingue a una ballena de una coliflor, pero con el derecho, fija y atraviesa.

—Estás guapísimo, Cristián.

—Y tú, Marisol, pero el viejo no te quita ojo.

—¡No seas celoso, que mi hombro es para ti!

Me ha hecho ilusión. Nunca me habían dicho que un hombro tan bonito era para mí.

B.

Tío Juan José y Paquita encantadores. Mi comadre es la Pulpona, bastante basta. De lejos se soporta, pero en la cercanía huele a filete de pez espada empanado. Unos cuarenta invitados, todos, menos Marisol y yo de la parte de tía Paquita. El sacerdote, muy amable y moderno, de los que odia Mamá. Al niño se le han puesto los nombres de Juan José —por su padre—, Cristián —por mí—, Ángel —por su abuelo materno— y Bartolomé. Lo de Bartolomé tiene que ser por alguna devoción. Cumplido el trámite, unas copitas y una cena. Brindis y bailes. Arranques de palmas. El hermano de tía Paquita, Pepe *el Acedías*, nos ha anunciado a todos, en un momento dado, que se «iba a oriná». Todo muy normal.

De vuelta, Marisol me ha acompañado.

—¿Cuándo le vas a hablar a tu madre?

—Muy pronto, mi vida. Creo que el momento ha llegado.

—Pues se puede morir de un soponcio.

—Por eso.

—Toma, para ti.

Y no me ha dado un hombro, sino los dos, y después se ha bajado el vestido, y no sigo, porque es mi novia, y la futura madre de mis hijos. Pero ay, ay, ay, qué cosas, y qué alegría, y qué quemazones.

—¿Bien el bautizo, señor marqués?

—Estupendo. Ya es hijo de la Iglesia Juan José Cristián Ángel Bartolomé Henestrillas y Zubimendi.

—Me alegro mucho, señor.

—¿Mi madre, Tomás?

—No ha cenado.

—¡Viva la libertad, Tomás!

—¡Viva, señor marqués!

POR LOS CUERNOS

El toro por los cuernos. Si espero más, se muere el toro. Más vale ponerse una vez colorado que cien amarillo, o al revés, que a mí los refranes se me dan muy mal. Mamá en el salón, con don Ignacio. Flora presente. Directo al grano.

—Mamá, interrumpo nuestra incomunicación porque creo que debo informarte de mi decisión. Me caso. No busco tu autorización porque ya soy mayorcito. La futura marquesa de Sotoancho, de soltera María de la Soledad Montejo Frechilla, ya ha aceptado mi ofrecimiento. La boda, para el mes de enero. No se puede perder el tiempo.

Mi madre ha mirado a don Ignacio con expresión de estupor. Al fin, ha conseguido hablar, después de dos intentos fallidos.

—Espero que, al menos, me la presentes. Tengo que pedir su mano a sus padres.

—No hace falta, Mamá. Su mano está concedida, y lo que no es su mano, también. Por otra parte, no es precisa la presentación. La conoces de sobra. María de la Soledad Montejo Frechilla es Marisol, la hija de Lucas, nuestro guarda.

—¡No consiento esa boda! ¡La marquesa de Sotoancho no puede ser una Montejo Frechilla! Rompo inmediatamente mis relaciones contigo y me ausento de mis obligaciones de madre. A esa chica, según tengo entendido, le dicen en la Universidad de Sevilla la Interpol.

—Sí, Mamá, por su sagacidad y viveza.

—No, Cristián. Le dicen la Interpol porque tiene en sus pechos todas las huellas dactilares de los hombres de esta zona.

—Eso es una calumnia, Mamá.

—Eso va a Misa.

—Pues me caso con la Interpol.

—Tendrá que ser sobre mi cadáver.

—Sobre tu cadáver.

—¡Que no, no y no!

—¡Que sí, sí y sí!

Y ahí la he dejado. Con la boca abierta, el carmesí en las sienes, los ojos de hiena y a un milímetro del soponcio.

Ya en mi cuarto, he llamado a Tomás.

—Tomás, he anunciado a mi madre mi compromiso de matrimonio con la señorita Marisol Montejo, tu futura señora marquesa. La reacción ha sido horrorosa. Y me ha dicho que en la Universidad de Sevilla le han puesto el mote de la Interpol, por la cantidad de huellas dactilares que tiene archivadas en sus pechos. No obstante, mi decisión es firme.

—Me alegro, señor marqués. Lo de la Interpol es una añagaza. La señora marquesa viuda se refiere a una vieja amiga suya, que así era conocida en San Sebastián,

BARCA.

y ha aprovechado que el Guadalete pasa por el Puerto para turbar su ánimo. Bien hecho, señor.

No he acudido al comedor. Una tortillita francesa y basta. Desde el despacho he comunicado con Marisol.

—Ya está, mi vida. Se lo he dicho a mi madre.

—¿Cómo ha reaccionado, Cristián?

—Como una oveja sobre una moqueta verde. Primero con estupor, y después con indignación incontenida.

—Eres un hombre, Cristián.

—A propósito, Marisol. ¿A ti te llaman en Sevilla la Interpol?

—Es la primera noticia que tengo.

—Te quiero.

—Te adoro.

—Te deseo.

—Si quieres, voy.

—Pues ven.

—Pues voy.

—¡Mi alondrita!

—¡Mi cuco!

—¡Mi garcilla!

—¡Mi alcaraván!

—Pensándolo mejor, es preferible que no vengas, mi sirena.

—Lo que tú ordenes, Neptunillo.

—Un beso, mi vida.

—Otro para ti, mi Lecquio.

Tomás, a punto de estallar del alipori.

—Señor marqués, le ruego que no diga tantas bobadas en mi presencia; su amor con Marisol me da un poco de asquito.

—Eres un envidioso, Tomás. Pásate por el salón y me informas. Debe de estar ardiendo Troya.

Tomás me ha dejado. A los diez minutos ha vuelto.

—¡Se van a Roma, señor marqués!

—¿Quiénes, Tomás?

—Su madre, don Ignacio y Flora. Van a ver al Papa, para que prohíba su boda.

—¿Cuándo se van?

—Mañana al mediodía.

—Tranquilo, Tomás. Su Santidad no va a poner obstáculos a mi amor. ¿De verdad se van a Roma?

—Como que falleció Diana de Gales en París. A Roma, señor marqués.

Pues tengo que reconocer que mi madre, una vez más, me ha desconcertado. Que Dios me ampare.

La guardia suiza

Estaba saboreando un cafelito cuando Tomás ha irrumpido en el cuarto de los libros.

—Noticias frescas de Roma, señor marqués. Acabo de hablar con Flora. Ante todo, un dato del máximo interés: Su Santidad el Papa no ha recibido a la señora marquesa. Los de la Guardia Suiza le han dicho que para ver al Papa hay que pedir audiencia.

—Tomás, cuéntame todo y con regodeo en los detalles. Siéntate, ponte cómodo, sírvete una copita, lo que te apetezca.

—Muchas gracias, pero no es necesario. Quiero permanecer sobrio. Lo que sí le acepto es la invitación a sentarme, señor marqués.

—Descansa tus sufridas nalgas y empieza a hablar, que se me va a salir el corazón por las orejas.

—Pues vamos con las novedades. El viaje, bien. El hotel de Roma, estupendo. A Flora le ha encantado. La señora marquesa ha tocado diana a las siete en punto y a las ocho y media han salido hacia la Ciudad del Vaticano, en un taxi alquilado para toda la mañana. El taxista se llamaba Girolamo, para más señas. A las nueve han intentado entrar en las dependencias privadas de Su Santidad, pero se lo han impedido amablemente dos miembros de la Guardia Suiza. Ante la imposibilidad de acceder a las habitaciones del Papa, la señora marquesa ha exigido la presencia de un obispo o un cardenal. Don Ignacio, sin decir ni pío, bastante cortado. Ni cardenal ni obispo. A las diez horas cuarenta y tres minutos, la señora ha increpado a los suizos y les ha dicho que su uniforme es de mariquitas. Los suizos, con sus lanzas, no le han hecho ni puñetero caso. A las once y diez, un sacerdote se ha interesado por la causa. Creo que las palabras de su madre han sido, más o menos, las que a renglón seguido le refiero:

«Soy la marquesa viuda de Sotoancho y he venido a Roma a ver al Papa para rogarle que actúe de inmediato en un grave asunto. Y no me voy sin ver al Papa. Y haga el favor de decirles a esos guardias suizos que dejen de mirarme con expresión de quesos y me permitan entrar. Como ve, estoy acompañada por mi capellán.» En este punto, el sacerdote del Vaticano le recomendó a la señora marquesa visitar la Capilla Sixtina. Emoción y embrollo. Tira y afloja, y finalmente, el primer acto de presión. La señora marquesa abrió su silla plegable y se sentó en ella frente a la puerta. «Soy capaz de estar aquí hasta que el Papa me reciba.» Don Ignacio ha intentado convencerla, pero no ha sido posible. Creo que las relaciones entre don Ignacio y la señora marquesa han sufrido un acusado deterioro, porque su madre le ha acusado de cagueta. Si lo desea, voy más despacio, señor marqués.

—No, Tomás; sigue con ese ritmo. ¿Y qué ha hecho mi madre?

—Mientras Flora y don Ignacio han regresado al hotel, su madre ha permanecido sentada en su silla plegable y frente a las puertas de la residencia papal. Parece ser que ha intentado colarse cuando el relevo de la guardia, pero no lo ha conseguido. Sigue ahí, señor marqués. Flora le ha llevado un sándwich de jamón de York. Don Ignacio teme por su futuro en el escalafón y ha hecho lo humanamente posible por calmarla, pero con resultado negativo. Un momento, señor marqués, que suena el teléfono.

No salgo de mi asombro. Mamá enfrentada al Papa y a la Guardia Suiza del Vaticano. Tomás ha vuelto.

—Las noticias de última hora no pueden ser más alarmantes, señor. Su madre, don Ignacio y Flora han sido expulsados del territorio vaticano. Han conseguido billetes para el último vuelo a Madrid. Me dice Flora que la señora marquesa está fuera de sí. ¿Qué hacemos, señor?

—Nos vamos unos días, Tomás. Reserva dos habitaciones en el Albatros de Cascais. Carretera y manta. Voy a llamar a la señorita Marisol para tranquilizarla.

—¿A qué hora saldremos, señor?

—¡Ya, ya, ya!

Y aquí estamos. En Portugal.

CASCAIS

Nada mejor que escapar a tiempo. Mientras Mamá, don Ignacio y Flora llegaban a La Jaralera después de su fallido viaje a Roma, Tomás y yo cumplíamos los trámites de ingreso en el hotel Albatroz de Cascais, la bellísima localidad pescadora inmediata a Estoril. Me gusta Portugal. Ya le he dicho a Tomás que se ande con ojo, porque tengo las mejores referencias de los mayordomos portugueses. Más solemnes y menos metijones. He dejado a Tomás en el hotel durante mi paseo, con la orden de establecer contacto directo con La Jaralera.

A la vuelta, acompañado de una bolsa repleta de discos de fados, Tomás en el vestíbulo.

—Todos han llegado bien a casa, señor. La señora marquesa viuda no ha preguntado por nosotros. Le he dicho a Flora que permaneceremos en un lugar ilocalizable de Portugal durante cinco días. No obstante, me temo que ya nos han localizado. Acaba de llegar este telegrama.

Cuando agarraba el telegrama me he apercibido de

mi error. Mamá sabe de mi querencia hacia Portugal y de mi especial afecto por Cascais. El texto del telegrama, áspero y directo: «S.S. Papa informado tu proceder. Te encontraré cualquier lugar mundo. Pareces tonto. Rectifico. No pareces tonto. Eres tonto. Vuelve inmediatamente. Mamá.»

He leído a Tomás el telegrama y se ha quedado de piedra.

—Señor marqués, ha llegado el momento de demostrar quién es el que manda.

De acuerdo con él he contestado por la misma vía: «S.S. El Papa ajeno tus maniobras. Has hecho ridículo gordo en Vaticano. Tonta tú. Absolutamente tonta tú. O pides perdón o te mando residencia ancianos Jerez. No vuelvo porque no da real gana. Volveré cuando dé real gana. Y tú, chitón. Cristián.»

Tomás se ha encargado del envío. La situación en casa no puede empeorar. Aturdido por la confusión y la brutal levadura del ancla —metáfora lograda por cuanto el ancla es el cariño que unía mi nave al amor de mi madre—, me he dejado caer por el bar. Un whisky con hielo y agua. Otro whisky con hielo y agua. Un tercero. A punto de solicitar el cuarto a tres patas, una voz femenina.

—Está usted tomando mucho.

Mirada hacia la dirección de la voz y sorpresa mayúscula. La más hermosa mujer jamás nacida de madre. «Muito obrigado», le he dicho, para agradecer su interés.

—No soy portuguesa; soy colombiana y le entiendo perfectamente. Si continúa a este ritmo le va a dar un colicón.

Mujer maravillosa. De unos treinta años, más o me-

BARGA.

nos. Acento de prodigio, maneras nobles, voz aterciopelada.

—¿Qué hace usted aquí? —he conseguido preguntarle.

—Lo mismo que usted, pero sin beber.

—¿Me permite que la acompañe?

—Siempre que no tome más, sea bienvenido.

Tres horas hablando con ella. Le he contado mis penas y ha escuchado mi relato con una sonrisa clara y comprensiva. Según he interpretado, ella nació en Santa Fe de Bogotá, hija y nieta de millonarios, está sola en el mundo, cree en Dios, busca paisajes nuevos y se llama Marga Rosa, aunque sus amigos le dicen «Marsa». Tiene un campo que supera por cinco veces a La Jaralera, y carece de madre.

—Me gustaría verla mañana.

—Espero que no se le pase el gusto con la sobriedad.

—Me llamo Cristián.

—Ya me lo ha dicho cien veces.

—Mi madre es mala.

—Doscientas veces.

—Me encantaría conocerla más.

—Trescientas veces.

—Buenas noches, señora. Ahí está mi mayordomo para llevarme a la cama.

—Que duerma bien su merced.

—Adiós, palmera.

—Hasta mañana, borrachín.

Todavía no sé si todo ha sido un sueño.

BOCA DO INFERNO

Permanezco en Cascais. Amanecida horrible con una resaca como las del Cantábrico.

—Cuatro alkaseltzer, Tomás.

La cabeza inicia la recuperación de su sitio. ¡Oh, Marsa! La conocí ayer, en plena melopea. Hemos quedado para vernos hoy, y me siento confuso. ¡Qué mujer!

—Tomás, ayer conocí a la más hermosa mujer que en el mundo ha nacido.

—Tuve ocasión de comprobarlo cuando acudí al bar a recoger sus restos, señor marqués. En efecto, mi impresión no puede ser más positiva.

—Nos quedaremos en Cascais hasta que pase la tormenta de casa, Tomás. ¿Dónde crees que debo llevar de excursión a la señorita Marsa?

—Sin duda alguna, a la «Boca do Inferno», un precioso fenómeno natural de la costa que se encuentra muy cerca de aquí.

—Gracias, Tomás.

Después de llamar a Marsa a su habitación he comprendido que no se trata de un espejismo alcohólico.

—En media horita te espero en el vestíbulo.

Lo justo para bañarse y vestirse adecuadamente para visitar la inquietante «Boca do Inferno».

—Tomás, un traje que se compenetre con el lugar.

—En tal caso, señor, tendría que bajar al pueblo para adquirir un buen equipo de hombre-rana.

—En ese caso, la «teba» verde y pantalones grises.

En el vestíbulo, nerviosismo a raudales. Un pitillo. Me sabe mal, a noche pasada, a copa de más. Una mano sobre el hombro derecho. Ella. Marsa Restrepo Olivares.

—Tiene usted muy mala cara, señor borrachín. ¿Adónde me va a llevar?

Mi respuesta, lacónica, a fin de dominar el flujo y reflujo del café que pugnaba por salir.

—A la «Boca do Inferno».

Un amable taxista nos ha llevado hasta allí. Nada de nada. Un acantilado, con una gran roca horadada por los embates de las olas, y poco más.

—Menuda excursión birriosa —ha comentado Marsa.

Pero se ha reído, y no sé cómo, ni me lo pregunten, nos hemos agarrado por la cintura.

Comida en el English Bar de Estoril. Paso previo, un par de martinis.

—Usted es un tomón de cuidado —me ha dicho Marsa.

Durante el almuerzo, mucha charlita. Mi vida, mi mundo, la suya y su entorno. Tuteo.

—Quiero que vengas a La Jaralera.

—Si me invitas, voy encantada.

Marisol borrada por una nube. Literalmente borrada.

Ya en el hotel, Tomás esperándome.

—Señor marqués, su madre insiste en recordarle que sus obligaciones le reclaman.

—Que diga lo que quiera, Tomás. Tienes la tarde libre para hacer lo que te apetezca. Yo me voy a echar una siestecita de seis horas, aproximadamente.

—Lo que se llama una cabezadita —ha dicho Marsa, más guapa que nunca.

Hemos subido juntos. Su habitación es la 106, y la mía la 102. Al llegar a mi puerta, he intentado besarla.

—Aquí no, exhibicionista.

Entonces me ha empujado al interior del cuarto, y allí, en la soledad maravillosa de su mundo y el mío, nos hemos abrazado intensamente.

No sé lo que ha sucedido. Han pasado cuatro horas, y he abierto los ojos. A mi lado, en mi cama, dormida y desnuda, está Marsa. Yo también me hallo en porretas. Ahora sí lo recuerdo. Un vendaval, una galopada ardiente, una galerna apasionada y enfurecida. ¿Qué significa Marisol para mí? Quizá la ventana que me enseñó un paisaje desconocido. Pero nada más. Aquí, a mi lado, está mi futuro. Duerme mi futuro. Mi futuro abre los ojos, y se despereza. Mi futuro sonríe.

—Has estado estupendo, mi amor.

Entonces mi futuro y yo nos hemos abrazado de nuevo, y sin aviso ha zumbado el vendaval, y se ha repetido la galopada ardiente, y la galerna apasionada y enfurecida.

—Marsa...

—¿Qué, mi amor?

—¡Marsa!

EL ATAJO

Se me cierran los caminos. Sigo en Portugal, con Tomás y Marsa, mi gran amor encontrado. He sabido más de ella. Tiene en Pereira y Armenia miles de hectáreas de cafetales. Sólo un defecto que me hiere el alma. Es divorciada, y su primer marido murió ametrallado en Medellín. Marsa habla de él con cariño y creo que añora su frenesí. Se llamaba Oscar Rubén Cañizares, y tenía el sobrenombre de «Cocafina». Es absurdo sentir celos de un muerto, pero no supero la angustia de pensarla con otro.

Se me cierran los caminos porque Marisol ha pasado a ser una niebla acogedora, de segundo plano. Lo que son las cosas. Huyo de casa para no enfrentarme a mi madre por el asunto de Marisol, y en dos días cambian las circunstancias. A Mamá, encima, la expulsan por mi culpa del Vaticano, con lo mucho que le gusta aquello y lo que significa. Tengo que llamar a Marisol y dar la cara. Porque me he decidido. Me caso por lo civil con Marsa. Su segundo marido vive en Bogotá y se dedica a la fabricación de vidrio. Se llama Simón Bolívar Gutiérrez y le ha advertido a Marsa que si se casa con otro, por divorciada que esté, se compromete al balaceo. Según me ha contado mi amor, su segundo marido estuvo un tiempo en la cárcel acusado de asesinar a su primera mujer «por no darle *cucu* o *chaca chaca*». Pero yo no puedo renunciar a Marsa, para mí lo es todo. Tengo que reaccionar y dejar de temblar.

—Tomás, ponme con Marisol...

»Marisol, sé que voy a darte un disgusto. Seguirás siendo para mí la mujer de mi vida. Pero me preocupa la diferencia de edad. Creo que nos hemos precipitado. Me voy a casar...

—¿Quéeeeeeee? —ha gritado por el teléfono.

—Que me voy a casar por lo civil con una mujer algo más madura que tú.

—Si me haces esto, no volverás a saber de mí en la vida. Eres un canalla y un cobarde. Adiós.

Marisol ha colgado. Primera gestión cumplida.

—Tomás, ponme con mi madre...

»... Mamá, dos noticias. La primera, que he dejado a Marisol.

—Hijo mío, no sabes la alegría que me das. Has vuelto a ser mi Susú de siempre. Me figuro que la segunda noticia es que vuelves a casa inmediatamente.

—No, Mamá. La segunda noticia es que me caso por lo civil con una mujer maravillosa, Caribe puro, viuda de un primer marido, divorciada de un segundo...

—¿Quéeeeeee? ¿Quéeeeee diceeeees? ¿Divorciadaaaaa? ¿Por lo civiiiiiil?

—Sí, Mamá. Me caso un día de éstos en Lisboa, en el consulado. Prepara la recepción en La Jaralera para mi futura esposa, que será la marquesa de Sotoancho.

—Oye tú. Hasta aquí podríamos llegar. La mar-

BARCA.

quesa de Sotoancho no puede ser una pecadora casada por lo civil. Aquí no entra.

—Ahí entra porque irá conmigo y el dueño soy yo. Quiero una recepción digna. Adiós, Mamá.

Ahora el que ha colgado he sido yo.

—Tomás arregla lo de mis papeles. Llama al consulado. Me caso con la señorita Marsa.

—¿Y Marisol, señor?

—Arreglado. Lo ha encajado perfectamente.

—¿Y la señora marquesa viuda?

—Está feliz y deseando conocer a mi futura esposa. ¡Ale, ale, Tomás, que el tiempo es oro!

—Marsa, me quiero casar contigo.

—¿Dónde y cuándo, mi tiburón?

(Lo de «mi tiburón» me ha puesto como una moto.)

—Aquí, en Portugal y cuando estén los papeles.

—¿No te atemoriza la reacción de Simón Bolívar?

—Me paso el balaceo de Simón Bolívar por los *Knikerbokers* que heredé de Papá.

—¿Quieres que arregle mis papeles?

—Lo deseo fervientemente, Marsa. La Historia tiembla de emoción, amor mío. La novena marquesa de Sotoancho lo serás tú.

—No sabes lo feliz que soy, mi tiburón.

—Y yo, mi barracuda.

El atajo. He elegido el sendero angosto y rápido para poner en orden mi vida. Ha entrado Tomás en mi habitación con expresión de dolor.

—Ha llamado la señora marquesa. Me dice que si se presenta usted en La Jaralera con esa «cantante de boleros» (así lo ha dicho) ella se irá para siempre a Jerez.

—Pues que vaya haciendo las maletas, Tomás.

CONTRAATAQUE

Así que iba tan tranquilo por los jardines del hotel Palacio de Estoril, cuando un taxi de Lisboa dio un frenazo perforante y se detuvo en seco. Los portugueses son gente de calma y serenidad y no se insultan entre ellos tanto como nosotros. Un frenazo como el que tuvo lugar ante mis narices, en España es prólogo de un inevitable intercambio de puñetazos, pero aquí todo se arregla con una mirada de reproche. El taxista frenón pidió disculpas a los conductores de los automóviles inmediatos y se puso a cobrar la carrera con una tranquilidad pasmosa. Ya me estaba distanciando del lugar de los hechos, cuando la persona que salía del taxi dio un alarido que me paralizó.

—¡Cristián!

Giré sobre mí mismo —con una agilidad que me sorprendió gratamente— y me encontré ante un panorama desolador. La que descendía del taxi era Mamá.

Inmediatamente después de ella, aparecieron don Ignacio y Flora. Mamá no sabe viajar sin séquito. El encuentro resultó de lo más impertinente.

—Cristián, me has decepcionado como hijo. Has humillado mi autoridad y llevas una temporadita insoportable. Pero sigo siendo tu madre, y aquí estoy para que me presentes a esa mujer que pretende ser la marquesa de Sotoancho por lo civil.

—No me encuentro en condiciones de complacerte —le dije mientras besaba ceremoniosamente su mano derecha—. Marsa se halla en el hotel descansando.

—¿Descansando de qué? —indagó mi hacedora con expresión de rotweiller anoréxico.

—Descansando de mí, Mamá. Descansando de mi fogosidad. Descansando de mis relinchos. Porque debo informarte que al sentir el gustirrinín del pecado mortal, relincho.

Mamá, don Ignacio y Flora, blancos como alhelíes. Bueno, Flora no tanto.

—Estoy en el Palacio. Cuando quieras, apareces con tu novia apache. Si te apetece relinchar, no te cortes. Pero no me voy de aquí sin conocerla. Te espero en el bar a las siete en punto.

Concertada la cita, Mamá me dio la espalda y acompañada de su séquito ingresó en el hotel.

—¡Tomás, algo horroroso! ¡La señora marquesa está aquí!

—En efecto, señor, hay noticias más agradables.

—Se ha presentado con don Ignacio y Flora, y en una hora me espera. Pretende que le presente a la señorita Marsa.

—Me temo, señor marqués, que así va a suceder. Más vale ponerse una vez colorado que cien amarillo.

Marsa, sobresaltada, inquieta. Poco a poco se ha ido tranquilizando. Se ha vestido de reina consorte.

—Tomás, acompáñanos. Si mi madre ha traído séquito, nosotros también lo llevamos. Eres nuestro séquito, Tomás.

—Me siento muy honrado, señor marqués.

Siete en punto. He ingresado en el bar junto a Marsa y con Tomás a dos pasos de respeto. Mamá y don Ignacio —que no ha abierto la boca todavía—, sentados y en actitud defensiva. Flora en otra mesa, leyendo una novela de Corín Tellado. Creo recordar que se trataba de *Celos tormentosos*.

—Marsa, te presento a mi madre. Éste es don Ignacio, nuestro capellán.

—Encantada, señora; mucho gusto, padre.

Mamá, ni mú. Nos hemos sentado con ellos, en tanto que Tomás se ha acomodado junto a Flora. Diez minutos de silencio expectante. Finalmente, Mamá ha iniciado un parloteo balbuciente que poco a poco se ha ido haciendo comprensible.

—Mire usted, eff, sí, yo, claro, como verá, eff, iff, estoy muy disgustada con mi hijo. Usted, iff, eff, uff, no puede casarse con un hombre soltero, porque eff, iff, Jesús, está divorciada. Yo no lo puedo permitir, mientras viva, y si muriese, tampoco. Me parece usted muy guapa y elegante, y eff, iff, seguramente es muy inteligente. Pero no doy mi aprobación.

A punto estaba de levantarme cuando Marsa ha hablado.

—Señora, tiene usted un problema con los dientes. No hace otra cosa que emitir sonidos como iff, eff y uff. Le recomiendo que se revise la dentadura. En lo referente a mi compromiso con su hijo, le digo que por mi parte, sigo adelante. Que me voy a casar con él. Que me encanta cómo habla y cómo relincha. Y que si le molesta, eff, iff, uff, se va a tener que aguantar. Encantada, señora. Nos veremos en La Jaralera.

Mamá de piedra. Tomás, feliz junto a Flora. Marsa y yo, dignísimos, hemos abandonado el local. Lo que no entiendo es por qué Mamá se ha traído a don Ignacio, con lo caro que sale este hotel. No ha dicho esta boca es mía.

—Has estado estupenda, Marsa.

—A mí nadie me separa de tus relinchos, Rocinante.

Y así estamos.

ÚLTIMA NOCHE

—Tomás, mi última noche de soltero.

—Ya era hora, señor marqués.

Mañana al mediodía, en el Consulado de España, mi vida cambiará. Para que veas lo mucho que te aprecio, serás testigo de mi boda.

—Se lo agradezco mucho, señor, pero me temo que mi condición de testigo no es consecuencia directa de su aprecio. Es porque no hay nadie más en Portugal.

—También tienes razón.

—Pues eso, señor marqués.

Marsa y yo hemos decidido no vernos hasta la ceremonia. De Colombia han llegado algunos amigos. Ella no estará sola. Claro, que es la tercera vez que pasa por este trance. A pesar de mi indignación, he llamado a casa para informar a mi madre.

—Flora, anuncie a la señora marquesa viuda que mañana, a las doce en punto, contraigo matrimonio con la señorita Marsa Olivares Restrepo.

—Mi enhorabuena, señor marqués, pero ya sabe

que la señora me tiene prohibido pronunciar su nombre o pasarle recados de su parte. Ya me ha contado Tomás que viajará con ustedes a Sudáfrica, en su viaje de novios.

—No sabía que Tomás hablara tanto con usted, Flora.

—Cuatro veces al día, señor marqués.

—Pues sí; nos vamos a Sudáfrica, al parque Krüger. La futura señora marquesa es muy aficionada a retratar jirafas.

—Le deseo lo mejor, señor. Y vuelvan pronto. Aquí se les echa mucho de menos.

—Adiós, Flora. Dígale a mi madre que, a pesar de todo, es mi madre y la quiero. Que la echaré de menos.

—Eso no se lo puedo decir, señor marqués. Me echaría de casa. Adiós, señor, mucha felicidad y suerte.

A punto de soltar el moco. No Flora, yo. Mi madre no quiere saber nada de mí. No importa. Tomás ingresa en mi habitación.

—Tomás, este mes cobrarás diecisiete mil pesetas menos. Cuatro conferencias diarias con La Jaralera cuestan un riñón. Flora ha cantado.

—Señor marqués; he hablado con nuestra casa por mantener el nexo familiar. No le oculto que lo he hecho con frecuencia no deseable, pero le advierto una cosa: si mi nómina sufre la mengua de una sola peseta, no seré testigo de su boda.

Golpe bajo, pero eficaz.

—Está bien, Tomás. Cobrarás lo estipulado.

—Lo estipulado más las dietas de viaje y el suplemento voluntario correspondiente a su enlace nupcial.

42

—No sabía nada de ese suplemento voluntario.

—Lo sabe ahora. Son cien mil del ala.

—Si lo sé, no me caso.

He bajado al bar. Allí conocí a Marsa. Mi futura alondra, mi inmediata oropéndola, mi venidera berberecha, se halla en estos momentos en compañía de sus amigos cenando en Lisboa. La excepción confirma la regla, y he invitado a Tomás a agarrarse una cogorza conmigo. Ahí llega. La verdad es que, después de tantos años a mi servicio, el hombre ha adquirido una distinción considerable. Está mucho más elegante que yo.

—Tomás, me suena ese traje azul.

—Se lo robé el año antepasado, señor marqués.

—Fue un buen robo, Tomás. El traje es magnífico.

—De lo mejor que usted tenía en aquel momento, señor.

—¿Whisky, Tomás?

—Lo que usted beba.

Verborrea convincente, exaltación de la amistad, cantos regionales... La tajada ha sido curiosa. Tomás me ha confesado su amor delirante por Flora. Sabía que tonteaban, pero no podía imaginarme una pasión como la de Tomás. Ahora entiendo su odio por Lucas y por el sinvergüenza del Cigala.

Cuando entonábamos *Los pinos del Coto*, hemos sido amonestados por el barman. Al iniciar los primeros compases de *Algo se muere en el alma cuando un amigo se va*, nos han invitado a abandonar el local. Muy amablemente, como es norma en los portugueses, pero nos han expulsado.

El abrazo, frente a la puerta de mi habitación, ha sido intenso.

—Muchísima suerte, señor marqués. Iré con usted hasta el fin del mundo.

—Gracias, Tomás. Me encantaría que fueras mi madre.

Y el cuarto que no paraba de dar vueltas, y vueltas, y más vueltas...

EL TELEGRAMA

Hoy me caso. Son las ocho de la mañana y he dormido gracias a la cogorza que me agarré ayer en compañía de mi fiel Tomás. Han aporreado la puerta de mi habitación. Un amable botones me hace entrega de un telegrama. Mi cabeza no tiene nada en su sitio. Es como una menestra de dolor de cabeza, confusión y nerviosismo. Tomás estará durmiendo la mona. Me siento y abro el telegrama, que me parece larguísimo. Ha tenido que costarle un dineral al remitente. ¡Oh, es de Marisol!

«Marqués de Sotoancho. Hotel Albatroz. Cascais. Portugal.

»Aún sigo sin poder reaccionar ante traición tuya. Te he hecho hombre y me pagas así. Lo de tu boda por lo civil con esa colombiana me suena a retirada. Cobarde. No has sabido imponerte loro insoportable tu madre. Ha vencido tu sentido de clase y no quieres casarte con hija guarda. En vista de actitud tuya, voy a decirte dos cosas. Primera: espero que no tendrás indecencia de retirarme ayuda y subvención estudios, Colegio Mayor, manutención, tarjeta de crédito y asignación mensual. Si así lo hicieras, procedería a contar en periódicos, radios y cadenas de televisión tu operación de fimosis y vendería fotografías tuyas con dodotis. Segunda: durante tiempo de nuestra relación he mantenido otra paralela con mi compañero de curso Lorenzo Fajardo. Llevo tres años acostándome con él. Y una última cosa. Como peligre puesto trabajo mi padre en La Jaralera, te acuerdas de mí y agradecerías no haber nacido nunca. No obstante, como te quiero más de lo que piensas, te deseo felicidad y te separes pronto de arpía esa. Un beso. Marisol.»

Gangrena en el alma. Dolor agudísimo en mi corazón. Que Marisol me haya engañado con un individuo llamado Lorenzo Fajardo me subleva la dignidad. Yo sabía que algo había por allí, pero no que llevara tres años encamándose con un futuro arquitecto desaprensivo y lujurioso. Por supuesto que cumpliré mi palabra, y seguirá recibiendo lo mismo que hasta ahora. Pero me ha dolido mucho su sinceridad. Puede ser que todo pertenezca a la mentira, y que lo haya dicho en un ataque de celos e iracundia. La verdad es que la sigo queriendo, pero no como a Marsa. Mi alondra tiene más mundo, y no me hace sentirme como un depredador de jovencitas. Lo que más me molesta es que crea que me ha vencido la voluntad de Mamá. No sabe lo que ha ocurrido. Bueno, qué importa ya si todo el jamón se ha vendido.

No puedo ni pensar en desayunar. Se me saldría todo por las orejas. Llamaré a Tomás, para que me acompañe en estos durísimos momentos. No responde. Otra intentona. Descuelga.

—¿Qué leches quiere a estas horas?

BARCA

—Soy el señor, Tomás.

—Perdón, señor marqués, creía que se trataba del conserje. Pero eliminando el «leches», por considerarlo irrespetuoso, ¿qué quiere de mí a estas horas?

—Son las ocho de la mañana y acabo de sufrir un gran impacto emocional. Marisol me ha estado engañando con Lorenzo Fajardo.

—Señor marqués, que Marisol se la daba con otro lo sabían hasta los patos más tontos de La Jaralera.

—Podías haberme informado de esa situación, Tomás.

—En las condiciones que estoy no me veo capacitado para seguir esta conversación por teléfono, señor marqués. Voy a dar una cabezadita y a las diez le atiendo. Hasta luego, señor.

Y ha colgado.

¿Y Marsa? ¿Cómo estará mi oropendolilla? Procederé a despertarla. Ayer por la noche cenó con sus amigos colombianos en Lisboa. Es ella. Vocecita de riachuelo.

—¿Quién es?

—Soy tu tiburón.

—¿Y por qué me despiertas a estas horas?

—Hoy nos casamos, mi vida.

—Sí, pero no a las ocho de la mañana. Llámame a las diez, colibrí. Y a propósito. Mis amigos me anunciaron ayer que mi ex marido, Simón Bolívar, ha jurado balacearte. Hasta luego, ratón.

—¡Glupp!

ESTREMECIMIENTO

Ya estoy vestido y preparado para casarme por lo civil. Marsa me informa que en diez minutos estará dispuesta. He alquilado un Bentley como el de casa para que nos lleve al Consulado de España. Mi alegría se nubla con las ausencias. Tengo que reconocer que la distancia ha suavizado mi estado de ánimo respecto a Mamá. El tío Rafael de León escribió una copla preciosa sobre la figura de la madre, haciendo hincapié en una realidad indiscutible. Que madre sólo hay una.

Tomás, mi padrino de boda, se ha vuelto a poner el traje a rayas que me robó. Se lo arregló Fermina, la costurera, y parece que se lo han hecho a medida en Savile Row. Nos seguirá en un taxi acompañando a la madrina, que es una amiga de Marsa muy guapa y aparente que responde al nombre de Carol. Ya está aquí Marsa. Sólo un adjetivo merece ser aplicado a su figura. Cegadora. Belleza cegadora.

—Cuando tú quieras, mi amor —me ha dicho.

En el Bentley, Marsa y yo, seguidos por el taxi que lleva a Carol y Tomás. En el Consulado nos espera el resto de los amigos de Colombia. Ninguno de mi lado. Ni mi viejo y querido primo Moby, que me ha estafado tres veces y al que tanto he defendido de los ataques de Mamá, se ha dignado acudir a mi boda. Un palo y otro palo.

El cónsul, muy simpático y acogedor. Hemos sido instalados en un salón de espera hasta la hora de la ceremonia. Me ha preguntado si deseo que al nombrarme haga mención a mis títulos nobiliarios, y mi respuesta ha sido tajantemente afirmativa. ¿Qué soy sin ellos? En mi depresión me he apercibido de un detalle cruel. Soy como un *marron glacé*. Mi título es el envoltorio dorado, la estética y la presencia. Sin él, sería una simple castaña adornada por el idioma francés. Echo en falta a Mamá. Pienso en Marisol y el canalla del estudiante de Arquitectura. Pero cuando la tristeza más me invade, desvío la mirada hacia Marsa, y todo se ilumina.

Al fin se abre la puerta y un amable funcionario nos informa del estado de situación. Ha llegado la hora. Sesenta y dos años de soltería van a ser zanjados y al fin, aunque contra la voluntad de mi madre, una nueva marquesa de Sotoancho va a tener la oportunidad de aportar un heredero a la dinastía. Lo que son las cosas. A Marsa le ha nacido, de repente, el empaque y la naturalidad del marquesado, eso que Tomás, tan atinadamente, llama el «marquesío de cuna».

Ya estamos todos. Por el lado de Marsa, seis amigos de verdad. Un vuelo de diez horas para acompañarla mientras se casa. Por el mío, sólo Tomás. El cónsul, preparado, con todos los papeles en regla y a mano. La poliuria. Un receso. Me estoy haciendo pipí encima. Son los nervios. El cónsul ha entendido y me ha acompañado al cuarto de baño.

BARCA

—No se preocupe, Sotoancho, que esto sucede con mucha frecuencia.

He tardado algo más de lo previsto, porque me ha costado dominar la gotita. Esa gotita traidora que siempre queda en un pitilín mal sacudido y se muestra sin decoro en el pantalón. Me miro y no hay gotita. Bien, Cristián, ánimo y al toro.

—¿Por qué has tardado tanto, mi amor? —me ha preguntado Marsa.

—Por la gotita —y nos ha entrado la risa floja.

El funcionario ha tocado en el hombro a Tomás. De nuevo un receso. Tomás ha desaparecido con él. Seguramente, un problemilla de papeleo. Los minutos parecen horas. Cuando ha vuelto, un cierto temblor de papo denunciaba su nerviosismo. Pálido y seco.

—Creo, señor marqués, que debemos suspender la ceremonia.

Marsa, el cónsul y yo nos hemos mirado con estupor e inquietud.

—¿Qué pasa, Tomás? ¿Por qué suspender la boda?

—Me ha llamado Flora, que ha conseguido el teléfono por la Embajada. Señor marqués, según me ha comunicado, es más que probable que la señora marquesa viuda haya fallecido.

—¿Me quieres decir que Mamá ha muerto?

—Eso parece, señor; eso parece.

Capilla ardiente

Dolor intensísimo. Marsa a mi lado, atendiéndome y mimándome. Ha aceptado con generosidad pasmosa el retraso obligado de nuestra boda. Los amigos de Marsa se han marchado a Bogotá, porque no podíamos, dadas las luctuosas circunstancias, garantizarles una nueva fecha para culminar nuestra unión. Me hiere decirlo, pero ya sin Mamá, nos casaremos en La Jaralera. He dejado a Marsa en Sevilla. No quiero que se enfrente por primera vez a su futura casa en momentos de dolor intenso.

Flora me ha abrazado. También Ramona y Fermina. Marisol, incluso, ha llorado cuando se ha vencido en mi pecho.

—Lo siento, Cristián. Lo de tu madre y todo lo que te escribí en aquel telegrama maldito.

Hay que perdonar. Don Ignacio, más lejano, me ha invitado a acudir a la capilla ardiente. Me ha parecido rarísimo que no hubiera nadie velando los restos mortales de Mamá. Como si la noticia no hubiese trascendido.

Nadie de Sevilla y nadie de Jerez. Ninguna tarjeta ni mensaje alguno. Don Ignacio me lo ha explicado:

—Prometí a la difunta señora marquesa viuda mantener en secreto la noticia de su muerte. No deseaba asistentes a su entierro ni funerales masivos. Sus últimas palabras fueron para usted, Cristián.

—¿Qué dijo, don Ignacio?

—No se la entendía bien, pero algo así como «Susú, tururú».

—Me parece rarísimo, don Ignacio, que a Mamá, en el umbral de la muerte y de la gloria, no se le ocurra decir otra cosa que «Susú, tururú».

—Pues eso fue lo que pronunció. Y otra cosa, señor marqués. Me hizo prometerle dos exigencias respecto a usted. Que sólo permanecería ante su cadáver cinco minutos y que no asistiría a su entierro.

—Eso es una crueldad, don Ignacio.

—Más bien lo contrario, hijo. Su deseo era privarle de tanta tristeza.

El féretro con los restos mortales de Mamá estaba instalado en el comedor. La mitad de Mamá en Sevilla y la otra, en Cádiz. Es costumbre de nuestra casa. El primer golpe, durísimo. Poco a poco me he ido acostumbrando a su presencia dormida. Me ha extrañado que presente tan buen aspecto. Tiene una cara buenísima, y un color estupendo. Don Ignacio me lo ha aclarado:

—Flora la ha maquillado con mucho cariño.

Lo que son las cosas. No he derramado ni una lágrima. Cumplo de esta manera con su lección permanente. Llorar es de pobres. Y una sensación difícil de ser comprendida por los ausentes. En un momento dado, me ha parecido adivinar en su boca un leve movimiento, una mueca de disgusto.

—Don Ignacio, Mamá ha movido la boca.

—Su madre no ha podido mover nada, porque ha muerto.

—Pues ha movido la boca.

—Pues han pasado los cinco minutos. Lo siento, señor marqués, pero cumpliendo la promesa dada a su madre, debe abandonar la capilla ardiente. Será avisado para despedir el entierro.

—¿Cuándo será el entierro, don Ignacio?

—En dos horitas, como muy tarde.

He abandonado a Mamá con una sensación de congoja confusa. Congoja por el hecho de su muerte, y confusión porque ha movido la boca, diga lo que diga don Ignacio. Conozco a mi madre y sé cuándo mueve la boca y cuándo la mantiene quieta. Enterrar con tanta urgencia a un cadáver que mueve la boca, se me antoja una falta de respeto absoluta. Y una precipitación. Deberían esperar a que dejara de mover la boca.

Me sigue extrañando que no haya venido nadie. Cuando Papá murió, esta casa se llenó de gente, de familiares, de amigos, de pelotas y de deudores de mi padre. Ni el tío Juan José se ha dado una vuelta por aquí para despedir a su prima y abrazar a su sobrino. En el salón, Tomás, esperándome.

—Le acompaño en el sentimiento, señor marqués.

—Gracias, Tomás. El entierro tendrá lugar dentro de dos horas. Mi madre pidió, como última voluntad, que yo no asistiera.

—Es muy doloroso, señor marqués, pero será por su bien.

—Sí, Tomás. Lo que me parece alarmante es que haya movido la boca. Lo he visto, y don Ignacio se niega a reconocerlo. O es un milagro, o no está muerta del todo.

—Puede pasarle lo que a los rabos de las lagartijas, que se siguen moviendo un buen rato después de ser separados del tronco.

—Tomás, te agradecería que no compararas a mi madre con los rabos de las lagartijas.

—Lo he hecho para consolarle, señor.

Nadie viene. Nadie llama. Nadie se ha enterado. Lo de Gustavo Adolfo Bécquer de «¡Qué solos se quedan los muertos!» es una broma al lado de lo de Mamá. Me voy a cambiar de traje y ponerme chipirón. Y a esperar el entierro. Pero les juro que ha movido la boca.

EL ENTIERRO

He sido avisado por don Ignacio. Ha llegado el triste momento del entierro de Mamá. No han permitido que me despida de ella, porque cuando he llegado a la capilla ardiente, el ataúd estaba cerrado. Nadie ha venido. Sólo estamos presentes don Ignacio, Tomás, Flora, Ramona, Lucas, Marisol, Fermina la costurera, Manolo el chófer, el resto de los guardas y empleados, y yo.

—Don Ignacio, podía haberme llamado para estar presente en la clausura del ataúd.

—No lo he hecho, señor marqués, porque la señora marquesa estaba muy feúcha y es mejor que se haya quedado con su imagen de siempre.

—¿Ha vuelto a mover la boca?

—Nunca la ha movido. Son figuraciones suyas.

Tras el rezo de los responsos, hemos sacado el féretro hasta la puerta. Pesaba poco Mamá. Huesos livianos. Ya fuera, hemos acoplado el ataúd en una camioneta de casa. A Mamá le horrorizaban los coches fúnebres y don Ignacio ha cumplido con sus deseos. Ya me disponía a subir a mi coche para abrir la comitiva, cuando el capellán me ha parado.

—Lo siento, señor marqués. La difunta santa dejó claro que usted no acudiría al cementerio. No se preocupe. Ya lo tengo todo arreglado y está dispuesto el panteón.

—¡Don Ignacio, que es mi madre!

—Pues lo siento. Mi deber es obedecer sus últimos deseos.

La camioneta ha partido con Manolo al volante, don Ignacio a su lado y Mamá en el compartimento de las remolachas. Poco respetuoso y muy cutre, pero no me he atrevido a protestar. Esa camioneta se usa mucho en la época de la remolacha, porque tiene una gran capacidad. Buena camioneta, que adquirí hace cinco años y no se ha averiado nunca. Me duelen estas disposiciones *in articulo mortis*, y más aún la poca tristeza que manifiesta don Ignacio. Estos curas son durísimos cuando se lo proponen.

Hubiera preferido un entierro a lo grande, con el todo Jerez y Sevilla en casa, el arzobispo de oficiante y yo, presidiendo el acto. Otro golpe ha sido el de la esquela. Ya la había redactado para enviarla al *ABC* —de Madrid y de Sevilla—, cuando el capellán me la ha arrebatado de las manos.

—No, señor; la difunta santa me pidió que no se publicara su esquela.

Extrañísimo, por cuanto a Mamá le encantaban las esquelas del *ABC*. El texto, redactado por mí, era el siguiente: «RIP. La Excelentísima Señora Doña Cristina Victoria Jimena Belvís de los Gazules Hendings, Boisseson y Hendings. Marquesa viuda de Sotoancho, condesa viuda de Buganda de don Fadrique, baronesa viuda de la Dehesa. Entregó su alma a Dios, el tal y tal del año tal. Su apenadísimo hijo, el excelentísimo —mi tra-

BARCA

tamiento es de "ilustrísimo", pero al serlo por tres veces, me pongo excelentísimo y cuela— señor don Cristián Ildefonso Laus Deo María de la Regla Ximénez de Andrada y Belvís de los Gazules, marqués de Sotoancho, conde de Buganda de don Fadrique y barón de la Dehesa. Sus primos, sobrinos y demás familia, así como su director espiritual y servidores, ruegan una oración por su alma, y tal, y cual y lo de más allá.» Un dineral que me ahorrado, porque las esquelas salen ahora por un ojo de la cara.

La melancolía me ha llevado hasta el cuarto de Mamá. Todo se encuentra en su sitio y preparado. Flora haciendo la cama, lo que me ha parecido un detalle de mal gusto.

—Flora, la pobre señora marquesa viuda no va a necesitar esa cama, tan bien hecha.

—Señor marqués, la hago en su memoria.

Un golpe de sentimiento hondo ha herido nuestros ánimos y Flora y yo, como impulsados por un resorte etéreo, nos hemos abrazado.

—Gracias por haber cuidado con tanto cariño a mi madre, Flora.

Y Flora, como es pobre y del servicio, se ha puesto a llorar.

Marsa en Sevilla. Yo solo en casa. Marisol me ha zigzagueado. Sólo Tomás me aguarda.

—Un whisky, Tomás.

—Ahora mismo, señor marqués.

—Un entierro muy rarito, Tomás.

—¿Mucho hielo, señor?

—Sí, mucho. Rarísimo, Tomás.

Y Tomás, mudo.

LA APARICIÓN

Estoy agotado y triste. Primer día sin Mamá en La Jaralera. He llamado a Marsa, y hemos quedado en vernos mañana en Sevilla. Todo deslavazado. Todavía no entiendo cómo Mamá dejó escrito que yo no presidiera su entierro. Ahí estará ahora, en el panteón, cerca de Papá. Mi cansancio no tiene límites y nada me sugiere cenar solo en el comedor. Menos aún, la compañía de don Ignacio, al que, si Dios me da fuerzas, voy a invitar en los próximos días a abandonar esta casa. Sin Mamá, su presencia aquí puede resultarme insoportable. Una copa, una tortillita de espárragos, yogur y a dormir.

—Buenas noches, Tomás.

—Que descanse, señor.

Las paredes se mueven y el ánimo se encoge. Los últimos tiempos fueron difíciles, pero he vuelto a mi niñez y juventud, y la memoria me trae la imagen más tierna de mi madre. Doy vueltas y vueltas en la cama, y no agarro ni la sombra del sueño. Un orfidal. Me voy a tomar un orfidal para aliviar mi nerviosismo. ¿Por qué me has hecho esto, Mamá?

Tres horas llevo en la cama y estoy más despierto que un colibrí al mediodía. De pronto me han venido los miedos antiguos, la angustia por la oscuridad, el terror a los ruidos. Un ruido. ¡Oh! Salto y me caigo de la cama. ¡Oh! ¡No puede ser! ¡Es ella! ¡Mamá!

Está ante mí, con una túnica blanca y una corona de luces. En su mano derecha, una vela. He acudido a abrazarla y me ha parado en seco.

—¡No me toques, Cristián! Los espectros somos etéreos.

—¿Eres tú, Mamá? —he preguntado con pavor amoroso.

—Soy el espíritu de tu madre que ha venido a verte para traerte un mensaje de los Cielos.

En ese momento de la aparición, la mano derecha del espectro de Mamá ha cedido a la mano izquierda la responsabilidad de sostener la vela.

—¿Te ha quemado la cera, Mamá?

—No; a los fantasmas no nos quema la cera, simplemente he decidido cambiar de mano.

Paralizado. Estoy paralizado.

—Sólo tengo dos minutos, Susú. He bajado para decirte que en el Cielo no se aprueba tu boda con una colombiana divorciada, y tampoco que te cases con la hija de un guarda. El Cielo espera de ti el sacrificio que tu rango demanda, y quedarían las almas muy complacidas si accedieras a casarte con Popó Gumiel de Hizán, hija menor de los condes de Ubierna. Si así lo hicieres, el Cielo bendecirá tu unión. Si persistes en tus porquerías con la divorciada de Colombia, el Cielo te anuncia que no te dejará en paz. Ahora cierra los ojos, no los abras hasta que pasen cinco minutos, no te levantes de la cama y no te preguntes por qué, siendo el

BARCA

espectro de tu madre, elijo la puerta para desaparecer, pero así está mandado. Que me vaya por la puerta y haciendo ruido. Adiós, hijo mío, piensa en el mensaje. Y una última cosa. Dios me tiene a prueba, y si desobedeces, puedo volver. Y que no se te pase por la cabeza prescindir de don Ignacio. Él será mi eslabón para mantenerme unida a ti.

He cerrado los ojos, pero con un poquillo de trampa. En efecto, el espectro de Mamá, que tiene una pinta buenísima para ser un fantasma, se ha dirigido hacia la puerta, ha girado el pomo, y ha salido de mi cuarto. La luz del pasillo estaba encendida, y el espectro la ha apagado. «Siempre derrochando luz», ha murmurado el fantasma. Después, silencio sobre silencio. La experiencia, sinceramente, atroz.

Por el interfono he despertado a Tomás.

—Tomás, se me acaba de aparecer mi madre.

—Está usted zumbado, señor.

—Tomás, era mi madre y me ha traído un mensaje del Cielo. Tengo miedo, Tomás. Agarra tu colchón, sábanas y almohada, y vente a dormir conmigo.

—Antes me despido, señor.

—Tomás, por favor...

—Que no, y que no. Mañana me lo comenta. Buenas noches, señor, y a «mimí».

Encima, no me cree. Mañana llamo al exorcista. Mejor dicho, hoy, que ya son las siete y no he podido pegar ojo.

LA COJERA

A Papá le encantaba tirar al pichón. Una tarde —yo tendría poco más de diez años—, en el club de Tiro de El Puerto de Santa María, ganó el Premio Osborne, o el Terry, o el del Ayuntamiento, que no lo recuerdo bien, pero uno de los tres. La enorme copa de plata la robó mi primo Moby, para empeñarla. Pero aquella tarde de triunfo estuvo a punto de derivar en tragedia. Al acudir Mamá a felicitar a mi padre, ignoró un escalón, tropezó y se rompió una pierna. En aquellos tiempos la traumatología no estaba tan avanzada como ahora, y a Mamá le quedó un levísimo deje de cojera, que se hacía más claudicante con los cambios meteorológicos.

—Mañana llueve porque me duele el corvejón —solía decir con aquella gracia que Dios le dió. Y llovía.

Me refiero a esto porque empiezo a sospechar de muchas cosas. Ayer noche se me apareció el espectro de Mamá para decirme que en el Cielo no quieren que me case con Marsa ni con Marisol. Lo pasé fatal y no he podido pegar ojo. Esta mañana, he adelantado en una hora mi puesta a punto para pasear un poco antes del desayuno. Y he visto movimientos raros. He sorprendido a Flora entrando una bandeja en el cuarto de Mamá —q.e.p.d.—, hecho de por sí extremadamente extraño. Los difuntos no desayunan té con leche, un zumo de naranja y un pedazo considerable de brioche. Flora ha cerrado con llave por dentro, y ha permanecido en el santuario de Mamá —que yo pienso convertir en capilla en los próximos meses—, más de veinte minutos, al cabo de los cuales, ha abierto y ha salido con la misma bandeja en muy distinta situación. El vaso de zumo estaba vacío, no se veía el brioche por ninguna parte, y la servilleta presentaba las arrugas propias del uso. Yo, inmóvil y escondido tras la columna, temblaba de la emoción. Me disponía a averiguar la cosa, cuando don Ignacio se ha presentado de improviso. Ha mirado hacia todos los puntos cardinales libres, y después de golpear la puerta con discreción, le ha sido abierto el acceso desde el interior del cuarto. A los quince minutos, ha abandonado el cuarto de Mamá —que Dios tenga en su Gloria— y ha desaparecido corredor al norte. En vista de ello, me ha dado el canguele y he desistido de entrar en los aposentos de mi difunta madre.

El paseo, reparador. Marzo apunta su llegada. Uno de los rododendros amarillos ha iniciado su floración y la tapia de las buganvillas se colorea. Sobre la tumba de *Gus*, bajo el gran tilo, han nacido decenas de violetas. Allí estaba Pepillo el jardinero plantando los tapices de damasquinas y lantanas. Al llegar a casa, Tomás me esperaba con el café preparado.

—Muy pronto se ha levantado, señor marqués.

BARCA.

—Y tú muy tarde. Y lo de anoche no tiene perdón. Te pedí ayuda y no acudiste. Mi madre se me apareció con luces y velas para decirme cosas de fantasmas.

—Son alucinaciones propias de la tristeza, señor marqués.

—Y hoy he sorprendido a Flora y a don Ignacio invadiendo los aposentos de la señora marquesa viuda. ¿Son también alucinaciones que entre con un vaso lleno de zumo y salga con el vaso vacío?

—Si usted lo desea, indagaré.

—Hazlo inmediatamente, Tomás. Para descargarme un poco la tensión, me voy a dar unos tiritos a los ánsares, que están ya haciendo las maletas.

Siete han caído. Lucas los cobrará. He vuelto a casa por el camino de los álamos, que no suelo frecuentar. El sol de frente me ha impedido la clara visión del prodigio. Lo resumo en un par de líneas. El espectro de Mamá paseaba a menos de cien metros de donde yo me hallaba. Y paseaba apoyada en un bastón, en su bastón, y lo que era peor, cojeaba aparatosamente. Demasiados fantasmas para un solo día. Con el corazón palpitando he gritado: «¡Mamá!», pero el fantasma, cojeando y todo, ha escapado a toda leche.

Seguro que mañana llueve.

EL ESPECTRO FUNDIDO

Me llama Marsa desde Sevilla para comunicarme que se marcha a Madrid para tomar el primer avión a Bogotá. La comprendo.

—Cuando todo se aclare, y te dejen en paz los fantasmas, y puedas llevarme a tu casa, volveré.

Nos hemos besado apasionadamente por el teléfono. Tomás con el desayuno.

—Señor marqués, todo aclarado. Flora me lo ha contado. La señora marquesa viuda, como nos temíamos, no ha muerto. Entre ella y don Ignacio, coaccionando al resto del servicio, han ideado esta añagaza para asustarle, y así obligarle a romper su compromiso matrimonial. Creo, señor, que nuestra respuesta debe ser contundente.

Ay, Mamá, Mamá. Capaz de fingir su muerte y sumirme en el mayor dolor con tal de salirse con la suya. Pero esta noche se va a llevar una buena sorpresa.

—Tomás, me voy a Sevilla. Volveré a cenar. Por la noche montaremos la espera del fantasma.

De vuelta de Sevilla, he cenado en mi habitación. A

eso de las doce, la hora preferida por el espectro, me he incorporado para situarme tras la puerta de acceso a mi cuarto. De tal modo, si aparece el fantasma, yo quedaré a sus espaldas para contemplar mejor sus movimientos. Pasos. Oigo pasos quedos y suaves. Se abre la puerta. El espectro ha entrado con su corona de luces. Le ha fallado la tecnología, porque una de las bombillas está fundida y la corona queda bastante chapuza. El espectro se dirige hacia mi cama. Me estoy meando de la risa. Con su mano derecha, el fantasma sostiene la vela de siempre, ahora con un candelabro para no quemarse con la cera. Al reparar en mi cama vacía, el fantasma ha pasado por un momento de turbación.

—Con la muerte has engordado bastante. Tienes muy buen aspecto, Mamá.

El grito del espectro ha sido terrorífico, y cuando he encendido la luz ha dado un salto en vertical de lo más divertido.

—Desde que te has muerto estás más ágil que nunca, Mamá —he comentado con cierta ironía.

Entonces el fantasma se ha enfrentado a mí y ha intentado mostrarse enérgico.

—¡De acuerdo! Soy Mamá. No me he muerto, y no pienso hacerlo hasta que recuperes la cabeza.

—La tercera bombilla de la derecha la llevas apagada, Mamá. O se ha fundido o te fallan las pilas. Buenas noches, Mamá. Bienvenida a la vida. Mañana hablaremos.

Seco y cortante. El fantasma se ha marchado con el rabo entre las piernas, la color carmesí del sofoco, y sin poder articular palabra.

—Tomás, el fantasma ha sido sorprendido. Sube y acompáñame a la habitación de don Ignacio. Vamos a darle su merecido.

B.

Tomás, que además de anticlerical se la tiene jurada al capellán, se ha manifestado feliz.

—En un segundito estoy con usted, señor marqués.

El cuarto de don Ignacio, que es el que usaba el cardenal Segura cuando venía a casa, se halla al final del corredor de las buganvillas. Don Ignacio estaba dormido cuando Tomás y yo hemos irrumpido en su habitación. Ha abierto los ojos con pavor desmedido y, tras saltar de la cama y mostrarnos un horrible «esquijama» verde con patitos estampados en amarillo, se ha puesto la bata.

—Don Ignacio, el espíritu de mi madre se me ha vuelto a aparecer, esta vez con una bombilla de la corona fundida. Hemos llegado a un acuerdo. Retraso mi boda a cambio de que usted se marche inmediatamente de esta casa.

Don Ignacio, casi de rodillas. Tomás ha intervenido, con su habitual tacto.

—Ya ha oído al señor marqués. A la puta calle, don Ignacio.

—¡No puede ser! ¡La señora marquesa jamás haría una cosa así! —ha ululado el capellán agarrándose al último clavo.

—Está decidido, don Ignacio. Mañana, antes de que se ponga el sol, abandonará esta casa.

Y ahí se ha quedado, en el rechinar de dientes.

REUNIÓN EN LA CUMBRE

He convocado una reunión en la cumbre a la que asistiremos exclusivamente los poseedores de la cumbre, es decir, Mamá y yo. El Orden del Día contempla dos puntos cuya solución no se puede retardar:

1.º Explicación y exigencia de disculpa del proceder de la marquesa viuda de Sotoancho respecto a su hijo, simulando el fallecimiento y coaccionando su derecho a la libertad. Relación de cómplices y establecimiento de sanciones.

2.º Análisis de la actuación del capellán de la Casa, reverendo padre don Ignacio, por si es susceptible de ser merecedor de un despido procedente. Evaluación de liquidaciones e indemnizaciones.

Hay un tercer punto que lo abarca todo y que he copiado de las actas de la sociedad alcoholera de la que soy consejero:

3.º Ruegos y preguntas.

La reunión ha sido convocada por mí y tendrá lugar a las once en punto de la mañana de hoy. Dado que son las once menos dos minutos, hago mi ingreso en la sala de consejos de la sede social, que es el comedor. Mi madre asiste desde Sevilla, y yo, desde Cádiz.

Tensión máxima. He abierto la reunión con unas cariñosas palabras congratulándome de la permanencia sobre la Tierra de Mamá. Después de agradecerme, sin excesivo cariño, mi discurso de bienvenida, Mamá ha tomado la palabra.

—Creo que esta reunión no debe celebrarse. He reconocido que he obrado incorrectamente simulando mi óbito, pero no encontré forma mejor de impedir tu decidida marcha hacia el precipicio. Mantengo mi oposición a tu boda, ya sea con la hija del guarda o con la colombiana divorciada, y me atrevo a anunciarte que, en caso de que persistas en tu actitud, abandonaré esta casa para siempre.

Mi respuesta no se ha hecho esperar, y así consta en el acta de la reunión:

—Respeto tus dudas y agradezco tus desvelos. Pero de aquí, no paso. La simulación de tu muerte ha constituido para mí un gran dolor y una posterior decepción. Tengo sesenta y dos años y quiero vivir, tener un heredero y ser feliz. Por ello, y aun rompiéndome el alma con lo que voy a decirte, tomo nota de tu amenaza de mudanza y la acepto. Me casaré con quien quiera, cuando quiera y como quiera. Pasemos al segundo punto del Orden del Día.

—No consiento que esto quede así zanjado. Vives inmerso en el pecado y no te pareces nada a quien yo creía un hijo ejemplar. Y el segundo punto es innegociable. Si tú no quieres a don Ignacio en casa, yo sí.

Intervine:

—En ese caso, me privarás de su presencia en la vida común. A partir de ahora, desayunará, almorzará y comerá en la zona menestral. Respecto a mi boda, ésta se celebrará, a lo más tardar, en el mes de julio.

Mamá se ha levantado digna y afligida. Su última frase ha intentado ablandar mis sentimientos.

—Contrataré la mudanza para esa fecha. No tengo que recordarte que además de mi fortuna y bienes personales, tendrás que pasarme una buena cantidad de dinero todos los meses, y que, a primer cálculo, no estimo inferior a los veinte millones de pesetas.

—Tendrás veinticinco millones al mes y todo pagado, Mamá. Se levanta la reunión.

Libre como un mirlo he salido al jardín. A lo lejos, un puntito azul que al acercarse me ha resultado familiar: Marisol.

—Hola, crápula —me ha saludado.

—Hola, zorrilla —le he respondido para recordarle que no he olvidado sus relaciones fuertes con su compañero de carrera.

En otros tiempos, Marisol se habría reído con la broma. Pero esta casa está desquiciada, y me ha arreado una bofetada de las que hacen temblar a una secuoya.

—¡Bingo! —ha gritado Tomás, que lo ha visto todo.

Y a mí, como siempre, me ha fallado la reacción. Pero ¡qué guapa estaba mientras me daba la leche!

Perdón

Esta casa de zumbados precisa de un alma generosa. Es la mía. He perdonado a don Ignacio, que se ha consumido de gratitudes como si fuera un azucarillo, y a Mamá, en la lejanía, la he dejado en su sitio.

Tiempo habrá para adoptar posturas. A toro pasado, lo del fantasma me hace hasta gracia, aunque ha conseguido su propósito de entorpecer y retrasar mi boda con Marsa.

Las cuentas de La Jaralera han salido estupendas. Esta tierra mía regala más de lo que a primera vista parece ofrecer. Tan es así, que me estoy pensando muy seriamente, si los Reyes siguen sin visitarnos y la Junta de Andalucía sin favorecernos, que no sería descabellado iniciar un proceso de autodeterminación de La Jaralera similar al de los vascos nacionalistas. Sin violencia, claro. Ganaríamos mucho, sobre todo en lo concerniente a impuestos y educación.

Los niños de La Jaralera, que se arman unos líos tremendos con la Historia de España, no estarían obligados a perder el tiempo con esa asignatura. Estudiarían la Historia de La Jaralera, inifinitamente más sencilla. Y en Geografía, no digamos. En lugar de los ríos de España, o los montes de España, sólo los ríos y montes de casa. Nada de Miño, Duero, Tajo, Guadiana, Guadalquivir, Ebro, Júcar y Segura, con sus afluentes y demás vainas. Con saberse el Guadalmecín, que es nuestro único río, sobresaliente. Y respecto a los montes, casi lo mismo. Tenemos el Cerrillo de doña Eulalia, la Quebrada del Bandolero y una roca en La Manchona que el abuelo bautizó como el Púlpito de los Venados. Tirado de aprender.

Se lo he contado a Tomás, y está entusiasmado. Si me animo, un día de éstos me largo a Bilbao para hablar con ese Arzallus que está siempre de mal humor para que me cuente cómo se mueve ese tipo de tingladillo. Lo del mal humor no me preocupa, porque estoy acostumbrado a Mamá que, más o menos, tiene los mismos prontos que Arzallus, aunque éste no se vista por las noches de fantasma para asustar a sus hijos, que tampoco pongo la mano en el fuego.

La bandera de La Jaralera será la nuestra de siempre. Verde oscura con siete estrellas doradas o amarillas. Las siete estrellas tienen un significado que Papá me explicó cien veces pero que nunca conseguí asimilar. Si mal no recuerdo, representan a siete visires árabes que uno de mis antepasados apresó a orillas del Guadalmecín. Estarían de picnic, llegaría el tatarabuelo de mi tatarabuelo, les diría que estaban en una propiedad particular y los mandaría apresar. De ahí las siete estrellas. Lo del fondo verde viene de mi apellido Valeria del Guadalén, pero también ignoro sus intríngulis.

Pero antes de realizar ese proyecto, necesito des-

BARCA.

cansar. Un tiempo de sosiego y tranquilidad me vendrán de perlas. Un viaje por el centro de Europa me atrae, y con Tomás no me aflije. Viena, Varsovia, Praga, Budapest... Bien por mi idea. A la vuelta, tendré a todos a mi merced y podré dedicar mis esfuerzos al proyecto de la autodeterminación, que según creo, hay que llamarlo soberanista para que se lo tomen en serio en Madrid.

Nube y manta. Ante mí, toda la maravilla de mi territorio. Ha estallado la primavera y me siento, no como un visir de los que apresó mi antepasado, sino como un sultán rejuvenecido y ardiente.

LO QUE DIOS HA UNIDO QUE NO LO SEPARE MAMÁ

—Señor marqués, le llama un individuo con nombre y apellidos lituanos. Me dice que es importantísimo para usted atender a su llamada.

—¿Cómo sabes que el nombre y el apellido son lituanos?

—No tengo la menor duda. Un tal Arturas Markulonis no puede ser otra cosa que lituano.

—Me pongo.

Siempre que inicio una conversación con un extranjero, tartamudeo a propósito. Los ingleses lo hacen muy bien, y humillan al interlocutor. Sirve además para dejarle hablar, y deducir su dominio del idioma. Lo cierto es que don Arturas habla un castellano raro y aceptable, y sólo en las «erres» se le resbala la lengua. Me ha contado muchas cosas, y su conversación me ha parecido más que agradable, pero a los quince minutos de charla he creído conveniente recordarle que el teléfono está para dar recados, no para ampliar su círculo de amistades. Entonces ha variado el tono de su voz, y me ha soltado una frase de aúpa.

—Es mucho importante que hablo con usted, porque de muy seguro interesará noticia madre suyo de joven.

Ante una frase tan clara y contundente, no he tenido más remedio que concertar una cita con el señor Markulonis. Nos veremos esta tarde en Sevilla, a las ocho en punto, en el bar del Colón.

—Tomás, necesito un sabio que me traduzca la última parrafada de don Arturas. Ha dicho textualmente: «Es mucho importante que hablo con usted, porque de muy seguro interesará noticia madre suyo de joven.»

—Aquí tiene al sabio. La traducción literal es la siguiente: «Es muy importante que hable con usted porque seguramente le interesará saber algo que le pasó a su madre cuando era joven.»

—La verdad es que me interesa. Pero no alcanzo a comprender qué pinta en la juventud de mi madre un lituano que se llama Arturas. ¿Hay algo más ridículo que llamarse Arturas, Tomás?

—Sí, señor marqués. Que con más de sesenta años le llamen a uno «Susú».

—Basta de charla, Tomás. Que Manolo prepare el coche. Antes de reunirme con el tal Arturas voy a agenciarme una barrerita para el Domingo de Resurrección, que torea Curro.

—Nada le agradecería más que me consiguiera un humilde tendido alto de sol para el mismo acontecimiento, señor marqués.

—Lo siento, Tomás. No lo voy a hacer. Los pobres lo queréis todo.

—¿Cómo que queremos todo? Son ustedes los ricos, los que quieren todo y todo lo consiguen.

—Eres un ignorante y un resentido, Tomás. Los pobres os morís y según el Evangelio vais al Cielo de un plumazo, mientras que los ricos tenemos que pasar, como los camellos, por debajo de una aguja. O toros y aguja, o Cielo y trabajo, Tomás.

—No se sabe si hay Cielo. Lo que nadie duda es que hay toros el Domingo de Resurrección en la Maestranza y que torea Curro.

—No te vendrían mal unos ejercicios espirituales, Tomás. Claro que hay Cielo. Y al Cielo irás cuando la casques, que con lo poco que te cuidas y lo que vas al puticlú, me temo que será muy pronto. Y te lo he advertido. Si no vas al Cielo, es porque no lo has querido, porque lo tienes tirado. Pero con tanta putita debes de tener el alma como un chipirón.

—Señor marqués, un tendido alto de sol...

—De acuerdo, lo intentaré. Pero no me vengas con cuentos si tú también tienes que pasar por debajo de la aguja esa.

—Por ver a Curro, repto de aquí a Sevilla.

—Haré lo que pueda.

* * *

Siempre le compro las entradas a un reventa amigo de Manolo, el chófer. Para mí, que van a pachas, pero me hago el distraído. Otro, que como siga así las va a pasar canutas para ir al Cielo. El reventa se hace llamar el Titi, y me he resignado a no averiguar el porqué. Ya en La Palmera se lo he dicho a Manolo.

—A ver al Titi, Manolo.

—Lo que usted ordene, señor. ¿Una entradita para ver a Curro?

—Dos, Manolo. Una barrera para mí y un tendido de sol para Tomás, que se ha puesto pesadísimo.

—Entonces una barrera para usted, un tendido para Tomás y otro para mí, señor marqués.

—Sea, Manolo, pero la última vez. Tú te bajas y llevas el peso de la negociación.

* * *

El Titi para en un bar de mala muerte que se llama La Corná, que ya es mal gusto. Manolo ha dejado el coche en doble fila y se ha apresurado hacia el interior. A los diez minutos ha salido para consultarme.

—Sesenta mil la barrera y a doce mil cada tendido. No hay papel. Me informa el Titi que el asiento de barrera es colindante con el de la Infanta Elena. Eso quiere decir que va a salir usted en *ABC*, señor marqués.

—Dile al estafador del Titi que cincuenta mil por la barrera y ocho por cada tendido. Que a mí no me engaña.

Ha vuelto Manolo a los diez minutos. Su expresión manifestaba una silenciosa y dramática pesadumbre.

—Que no admite regateos. O eso, o nada.

—Pues nada, que eso.

—No le entiendo, señor.

—Que sí, que de acuerdo. Toma el dinero. Y adviértele al Titi que si no salgo en *ABC* al lado de la Infanta le denuncio a la Policía.

* * *

Manolo feliz. Yo no tanto. Cuesta mucho ganar sesenta mil pesetas para invertirlas en una corrida de toros. Y encima las veinticuatro mil de los tendidos de mi servidumbre directa.

—Por esta vez os convido, pero que no sirva de precedente. Este año la remolacha va a ser una ruina.

—Gracias, señor marqués.

Se ha hecho tarde. Al Colón, donde tengo citado a don Arturas Markulonis, el misterioso lituano. En un semáforo, la amable observación de Manolo.

—El pajarito, señor marqués.

—¿Dónde?

—Su pajarito. Lleva la bragueta sin abrochar, señor.

En efecto. Las prisas, la tensión, la preocupación por la remolacha de este año, mi distancia con Mamá... Todo me ocupa la mente, y se me olvida lo más elemental.

—Gracias, Manolo, porque iba a dar un espectáculo.

—De los gordos, señor.

—De los gordísimos. Te has ganado la invitación a los toros. Nunca lo olvidaré, Manolo. Entrar en el bar del Colón con la bragueta abierta significa el acabóse.

—Produce muy mala impresión.

—Fíjate lo que habría pensado don Arturas.

—Prefiero no figurármelo, señor.

—¿Y se veía algo, Manolo?

—Todo, señor marqués. Y si me lo permite, mi más cordial enhorabuena. Buena herramienta, señor.

—Gracias, Manolo. Recién estrenada, pero no me puedo quejar.

* * *

Entretanto, en La Jaralera había estallado el escándalo. Flora, la bellísima y maciza Flora, pretendida en sueños por Tomás, Lucas y el Cigala, lloraba angustiada en el corredor de los retratos en espera de ser recibida por la marquesa viuda. Los hechos son muy sencillos. Después de la estrategia fallida llevada a cabo por la marquesa viuda y el capellán, simulando la muerte de la madre del marqués y las apariciones espectrales del espíritu de la marquesa, Sotoancho expulsó de la casa al taimado y glotón sacerdote. Una semana permaneció en el exilio, hasta que la marquesa, prometiendo una actitud de comprensión y buena conducta por parte de ella y del clérigo, convenció a su hijo para que fuera readmitido como capellán de la casa.

En señal de gratitud y como penitencia, el sacerdote había hecho una promesa a san Jhonatán de Jabugo, patrono de los consumidores de jamón de bellota o de pata negra. San Jhonatán, de origen galés, se dejó caer por Andalucía a mediados del siglo XIX, y destacó, amén de por su bondad, por su afición a los vinos finos y a los taquitos de jamón. Por razones desconocidas, una tarde se perdió en la sierra de Grazalema, apareciendo días después cadáver total con un golpe en la cabeza. Tantas fueron las peticiones que se formularon al Vaticano para elevarlo a los altares, que el Papa de turno, poco escrupuloso en el estudio de los méritos y santitades del occiso, le proclamó santo con la denominación de San Jhonatán de Jabugo, y por el que don Ignacio siente auténtica devoción.

La promesa de don Ignacio a san Jhonatán se resumía en un sacrificio grande. Estaría un mes sin picotear entre horas y sin probar los postres de Ramona, la excelsa cocinera de Zumárraga. Pero al cuarto día de promesa, era tal el agujero que sentía en su estómago, que, aprovechando las horas de nocturnidad y con la alevosía propia de los tragones, se escabulló de su cuarto para ir a la despensa en busca de unas croquetas de jamón que habían sobrado de la cena. Ya se había zampado la decimoctava croqueta, cuando oyó ruidos extraños provenientes del jardín. Asomado cucamente a la ventana, contempló una escena pecaminosa en sumo grado. Flora, la dulce, bella y maciza Flora, se estaba dando un guateque pasional con el granuja de Pepe *el Cigala*, uno de los secuestradores de la marquesa, de Flora y de él mismo, que terminó reinsertándose en La Jaralera como pinche de cocina. Ya durante el secuestro, Flora y el Cigala coquetearon hasta extremos incalificables, pero lo que veía don Ignacio a través de la ventana superaba toda exageración del *Kamasutra*. Ni corto ni perezoso, al día siguiente se chivó a la marquesa.

Flora lloraba, el Cigala permanecía serio, y la marquesa y don Ignacio, en el salón, ultimaban los castigos y las sanciones que iban a aplicar a los pecadores. Tomás, enterado del suceso, esperaba los acontecimientos en la cocina armado de un cuchillo de monte para clavárselo al Cigala, y Lucas, el guarda de La Manchona y a la sazón, padre de Marisol, cargaba tranquilamente su rifle con balas de sal para disparar sobre el inmoral pinche.

Por fin se abrió la puerta, y Flora y el Cigala fueron invitados a comparecer ante el jurado de la Inquisición. La marquesa, seca como una loncha de mojama. El acusador, sudoroso y con expresión de falsa aflicción.

—Flora, estoy disgustadísima.

—Ya lo noto, señora marquesa.

—No podía esperar de ti una acción tan poco consecuente con tu formación cristiana.

—Es el amor, señora, que lo nubla todo.

—El amor aclara. Es la pasión la que nubla. Desgraciadamente, Flora, esto no puede quedar así. Siento por ti un gran cariño y tus servicios resultan para mí imprescindibles. Por lo tanto, y conociendo su escasa catadura moral, hemos decidido prescindir del Cigala. Con esta medida, nos libramos de un sinvergüenza y alejamos de ti la tentación del pecado.

El llanto de Flora, desgarrador. El Cigala, no movía un músculo. Al cabo de una decena de segundos que se hicieron eternos, el Cigala tomó la palabra.

—Señora marquesa. La culpa es mía. Quiero a Flora más que a mi madre. Y yo la convencí para que me acompañara al jardín. Lo que vio el capellán responde a la realidad, y es verdad que nos estábamos dando un filete de los buenos. Pero me gustaría saber quién es el sacerdote para interrumpir y vigilar nuestra intimidad, y qué hacía a las tres de la madrugada en la despensa.

La marquesa se irguió de cuello como un cormorán de la Antártida, y miró con expresión de pregunta y un cierto deje de estupor al capellán, que ya no sudaba, sino que fluía.

—Don Ignacio. ¿Qué hacía usted a las tres de la madrugada en la despensa?

—Soy sonámbulo, señora marquesa.

—Los sonámbulos no son cotillas ni se ponen a mirar lo que no está bien.

—Desperté en la ventana, seguramente por los ruidos obscenos que emitía el pinche.

En ese punto del juicio, el pinche intervino.

—Ruidos obscenos son los que usted hace mientras come. A propósito, señora, como ex pinche de su casa es mi deber informarle que las veintitrés croquetas de jamón que habían sobrado de la cena, y tanto gusta el señor marqués de tomar frías en el aperitivo del día siguiente, desaparecieron coincidiendo con el estado de sonambulismo de don Ignacio. Y también, un trozo de la tarta de fresas, y una lata de bonito del norte en aceite. No de atún, de bonito, que es más caro.

—¿Es verdad lo que dice el Cigala, don Ignacio? —inquirió la marquesa con una voz perforante de muy difícil recepción.

—La carne es débil, señora, y debo reconocer que alguna croqueta no pudo zafarse de mis manos, así como el trozo de tarta. Pero me declaro inocente de la lata de bonito.

—Señora —intervino el Cigala—, las croquetas no cortan y el dedo pulgar de la mano derecha de don Ignacio presenta una cortadura muy sospechosa. Acepto mi despido, pero exijo un examen de un médico forense que aclare si hay restos o no de bonito del norte en aceite de oliva en el estómago de don Ignacio.

El capellán lo estaba pasando tan mal, que su resistencia se desmoronó.

—Ahora evoco, que quizá sí, que puede ser, que es probable, que abriera la lata de bonito.

—Si mal no recuerdo yo —comentó la marquesa—, usted había hecho una promesa de frugalidad a san Jhonatán de Jabugo. Luego hablaremos usted y yo, padre. Lo fundamental es que tú, Flora, te has comportado como una fulana, y...

Al oír de la marquesa el calificativo de «fulana» aplicado a su Flora, el Cigala enrojeció de ira, y en dos zancadas se puso detrás de don Ignacio, al que agarró por el cuello.

—Señora marquesa, o retira eso de Flora inmediatamente, o le pego al cura.

—No lo retiro. Pegue al cura.

—¡Por Dios, señora, retírelo! —suplicó don Ignacio con los ojos desorbitados por el susto.

—Lo retiro por coacción. Y también por afecto y utilidad. Flora, te confesarás de tus pecados. Hasta que no lo hagas, no podrás servirme la cena ni el desayuno, ni limpiarás la colección de solideos papales. Unas manos manchadas de pasión y sexo, no son dignas de servirme.

—Le prometo que lo haré, señora. Pero con el sacerdote del pueblo. Con este cotilla acusica y faltón con sus promesas, no me voy a confesar.

—Con el que sea. Y respecto a usted, Cigala, le doy una semana de plazo para que encuentre trabajo. Me cuesta ser así, pero no voy a permitir que mi casa se convierta en un cabaret. Podéis retiraros.

—Señora, señora marquesa... ¿No podría perdonar a Pepe, que es un pinche estupendo, y corta las patatitas como nadie y ayuda a Ramona a...

—No, Flora. El señor marqués ratificará mi decisión. Lo siento. Dile a Virginia, la doncella, que me traiga un té. Cuando te confieses, podrás servírmelo tú como es tu obligación y derecho.

Flora y el Cigala abandonaron la estancia con el corazón partido. Se miraban para intercambiarse amores y ánimos. En el salón, quedaron solos la marquesa y don Ignacio, que más nervioso que nunca, intentó escabullirse con muy escaso éxito.

—Quieto pichón. Don Ignacio, lo que usted ha hecho no tiene nombre. Ha roto de forma vergonzosa su promesa a san Jhonatán de Jabugo, y no contento con ello, se ha puesto a espiar a una pareja de enamorados. No ponga esa carita, don Ignacio, que no me va a enternecer. En vista de ello, y para que sus pecados sean perdonados, rezará de penitencia veintitrés Rosarios, uno por cada croqueta de jamón, una letanía por el trozo de tarta, y quince padrenuestros por la lata de bonito del norte en aceite de oliva. Y por acusica y sucio, comerá sólo verduritas durante dos meses, con la advertencia de que si llega a mis oídos que ha roto usted de nuevo la promesa, será despedido, y ya definitivamente, de esta casa. Vaya, vaya a cumplir la penitencia. La absolución se la da usted mismo.

* * *

En la cocina, la tragedia a punto de caramelo. Ramona sostenía a Tomás, que pretendía rajar al Cigala, mientras Flora, sin dejar de llorar, amparaba con su cuerpo el corazón de su amado.

—Antes me matas a mí, Tomás.

Ante tamaña demostración de amor, Tomás, que tampoco estaba para buscarse líos, dejó el cuchillo sobre la mesa y planteó una salida digna para sus intereses.

—De acuerdo, Flora. No le rajo. Pero como hombre, mi dignidad me reclama que le pegue una leche al granuja del Cigala.

—¿Aceptas que Tomás te pegue una leche, Pepe? —preguntó Flora a su media naranja.

—Por ti, acepto la leche. Pero sólo una.

Momento de gran tensión. Flora se retiró a un rincón, en tanto que el Cigala, firme como un álamo temblón, ofrecía su rostro a Tomás para que éste procediera a abofetearlo. Tomás, tranquilo en apariencia, brusco en su ánimo, se acercó hasta el pinche y le arreó un pedazo de soplamocos que habría tumbado a un aizcolari antes de cortar un tronco. El Cigala se tambaleó, se agarró a la mesa, y a punto estuvo de caer al suelo, pero la fuerza del amor le sostuvo. Cumplido el trámite, Tomás, pausadamente, abandonó el ring al tiempo que comentaba:

—Mi honor ha sido repuesto. Buenas. —Y fuese.

* * *

El bar del Colón estaba abarrotado. Me gusta el ambiente que rodea al mundo de los toros. Saludé a varios amigos. Allí estaba Carlos Gutiérrez Zúmel con Manolo Vázquez y Antonio Burgos. Hablaban de la próxima Feria.

—¿A quién buscas, Cristián? —me preguntó Burgos, currista él como yo.

—A un lituano.

—Pues mucha suerte —me desearon los tres, con esa amabilidad que sólo demuestran las personas cuando se libran de un intruso. Me dolió, pero los Sotoancho siempre hemos sido muy poco susceptibles.

Una mesa quedó libre y me hice con ella con agilidad de puma. Lo del puma es cosa de Marsa, que gusta de llamarme así cuando efectúo algún escorzo en su presencia. «Mi puma», me suele decir. Ya sentado, un camarero me sirvió mi JB con hielo y agua, y no había saboreado el segundo sorbito, cuando un honorable anciano de aspecto distinguidísimo se acercó hasta mi mesa.

—¿Es usted marqués de Sotoancho?

—Lo soy.

—Me presenta. Mi nombre es Arturas Markulonis, y yo encantado de usted conocerlo. Me lo figuraba más chato y calvo menos.

—Y yo a usted más joven —le dije para contribuir a sus impertinencias.

Me molestó lo de «calvo menos», porque no es cierto. Tengo claridades en el pelo, y entradas pronunciadas, y la coronilla poco boscosa, pero de ahí a ser un calvo media un largo trecho. Lo de «chato» me hizo gracia, porque no se espera de un lituano esa precisión en la jerga española. Observé detenidamente al sujeto, y debo reconocer que tenía, incluso, mejor pinta que yo. La cabeza altiva, con mucho pelo blanco. Por lo menos, un metro noventa de estatura. Bien vestido. Me fijé en sus zapatos, que tanto delatan, y eran ingleses. A primera vista, unos Stanford & Brooks, aunque también podrían haber sido encargados en Palms & Palms. Le invité a sentarse y pidió un martini de vodka, que no se llama martini, pero se entiende.

—Siento placer mucho de estar con usted, marqués.

—Lo mismo digo, don Arturas, si bien a mí, lo que me muerde es la curiosidad.

Con el martini de vodka en la mano, Arturas inició el gesto de un brindis.

—Como dicen nuestros invasores antes de copa tragar, *¡Nazdarovie!*

Y ¡patatún!, de un trago vació el vaso.

—Otra igualito —gritó al camarero, y éste solícito, cumplió con la sugerencia.

Con la segunda copa, don Arturas inició la conversación.

—Lleva más de sesenta años sin España venir, y puede que mi español no sea todo cojonudo que usted espera. Tengo noventa y dos años y me encantan mujeres españolas. Todas las que yo he querido pum pum, me he pum pum. Guapas, divertidas y culo mucho. Mujeres españolas culo mucho. Mujeres lituanas, culo poco. ¿Usted comprende? Estoy seguro que usted también pillín, como padre suyo, y a todas las que ha querido pum pum, usted ha pum pum.

—Don Arturas, haber venido a España después de sesenta años para hablar de sus pum pum, no me parece ni lógico ni normal.

—Yo a usted decir para que mejor entienda. Yo, muy joven, me enamoré muy locamente de madre suya. Yo en España tenía academia de baile, y madre suya era mi preferida. Yo no mienta. Mire lo que me regaló día San Arturo de 1929, que es día mismo que San Arturas en Lituania.

En ese instante, don Arturas me mostró una preciosa pitillera de plata. En su interior, grabada en la tapa, una inscripción. «A mi Arturas, de su... Cristina Belvís de los Gazules.»

—Yo nunca separé de esta pitilla, y he llevado hasta en campo de concentración de Stalin. Salvé de milagro, tanto yo como pitilla.

* * *

Todavía medio zumbado por la bofetada de Tomás, el Cigala buscó el aire limpio del jardín para recuperar sus fuerzas. Se sentía profundamente herido e irritado. En otros tiempos y circunstancias habrían brillado las navajas y corrido la sangre, pero no quería enturbiar su prestigio ante Flora. Por fin tenía a una mujer que se moría por él, y no pensaba desaprovechar la oportunidad. Flora lloraba en la cocina y el Cigala, apoyado en el tronco de un joven pino descansaba sus pesares y melancolías. Encendió un cigarrillo y aspiró el humo con un quejido de confusión.

* * *

El guarda Lucas Montejo se acercaba sigilosamente, como un sioux, a la casa principal de La Jaralera. Llevaba una época nefasta, en la que salía de Guatemala y entraba en Guatepeor, que es uno de los dichos más idiotas que puedan emitirse. El marqués había dejado a su Marisol, perdiendo con ello la oportunidad de convertirse en miembro de la familia Sotoancho. Aunque Marisol encajó bien el golpe, Lucas la observaba y deducía de sus gestos y movimientos una creciente melancolía. No le cabía en la cabeza que una mujer como su hija, destelladora y joven, pudiera sentir algo que no fuera lástima por aquel marqués zangolotino y embobado, pero recordaba una sentencia que había oído en cierta ocasión a un cazador al que Lucas servía de cargador. «En asuntos de braguetas, nunca opines ni te metas.» Pero la puntilla fue lo de Flora y el Cigala.

Lucas amaba apasionadamente, desde la distancia y la timidez, a Flora. Muchos años llevaba de viudo y soñaba con una mujer joven y cariñosa. Flora le sacaba de sus casillas, y el único objetivo de su vida era el de seducirla, convencerla y amarla hasta la muerte. Sabía que tenía dos rivales de cuidado. Tomás, el mayordomo del marqués, con el que ya había tenido un contratiempo, y Pepe *el Cigala*, ese delincuente que después de secuestrar a la marquesa —lo que es la vida y la suerte—, se había quedado en La Jaralera de pinche de cocina.

En el campo las noticias vuelan. Quizá sean los pájaros, o el viento, o las sombras las que anuncian los acontecimientos. Lucas se hallaba en la albariza de los juncos intentando hacer un censo aproximado de porrones moñudos, cuando sintió algo, un arañazo en el alma, que le produjo un gran malestar. Volvió a casa y ahí estaba Marisol para confirmarle la noticia.

—Nada, padre, que el cura ha sorprendido ayer noche a Flora y al Cigala dándose una fiesta.

Lucas no hizo comentario alguno, pero recordó que en su armero guardaba un par de cartuchos de sal, como aquellos que se utilizaban tanto en tiempos pasados para castigar a los cazadores furtivos. Y a ellos recurrió.

Como un sioux se acercaba a la parte trasera de la casa. Ni un ruido, ni una rama quebrada, ni un pajarito asustado delataban su proximidad. Ahí estaba el Cigala, el canalla, el asesino de su amor, fumando tranquilamente bajo el pino.

Se preparó a conciencia. Buscó el ángulo más seguro y después de secarse el sudor que goteaba por su frente, se encaró el arma. En el centro de la lente, como una diana odiada y abatible, se advertía con toda claridad el culo mozárabe del Cigala. Y Lucas, que no se andaba con chiquitas, disparó por dos veces.

* * *

La marquesa viuda se hallaba en el salón leyendo la página 3452 del tomo primero de la *Vida de los Santos*, cuando recordó que tenía que dar un recado a Tomás.

Le hizo llamar, y a los pocos minutos, el leal mayordomo de su hijo se presentó ante ella.

—Tomás, necesito que me busque por el pueblo a una chica honesta y trabajadora, que sepa algo de cocina para que sustituya al Cigala.

—Lo haré encantado, señora marquesa.

—Y por favor, dígale a mi hijo que quiero hablarle.

—El señor marqués está en Sevilla. Volverá tarde porque ha concertado una cita a las ocho en el bar del hotel Colón.

—Me molesta que mi hijo se dedique a ir de bares, como todos los desocupados.

—No es por echar un capote al señor marqués, pero creo que en esta ocasión, su presencia en el bar está plenamente justificada.

—Espero que no se haya citado con una buscafortunas.

—No, señora marquesa. Se ha citado con un señor natural de Lituania que tenía un gran interés en conocerle. Se llamaba algo así como Arturas Markulonis.

Al oír ese nombre, Tomás interpretó en la marquesa un gesto de estupor e incomodidad digno de un análisis más profundo. El libro de los santos cayó al suelo, la mano izquierda procedió a iniciar un extraño baile, y su papada se meneó como un columpio compulsivo.

—¿Arturas Markulonis, ha dicho?

—Exacto, señora marquesa.

—Déjeme sola, Tomás.

* * *

El alarido, estremecedor. El Cigala pegó un doble salto y sujetándose la extensa zona herida, inició una desaforada carrera en pos de ningún sitio. Flora salió a toda prisa, asustada por los gritos de su amor, y quedó espantada con el espectáculo.

—¡Me han perdigonado el culo! —repetía el Cigala, cada vez más histérico.

Ramona, la cocinera, contagiada por el caos, al ver a su ayudante en situación tan delicada, puso orden y serenidad al barullo.

—Traer ése ahora mismo, y llamar policía.

Virginia, la doncella, se tapaba los ojos con el pavor propio de las chicas de su edad.

El Cigala, ya tendido, se negaba a ser examinado por el personal asistente, que aumentaba a medida que se sucedían sus berridos. Ramona, de nuevo, impuso su autoridad.

—Culos como el tuyo, harta estoy de ver. De «vergüensas» nada. Flora, baja pantalones a «sinvergüensa» y chocholo ese.

Flora, con sumo cuidado, descubrió el gluterío de su amado, que efectivamente, presentaba un aspecto desolador. Miles de puntitos colorados salpicaban la piel nalguera del pinche, que a punto se hallaba de desvanecerse del escozor. Fue Remigio, el mozo de cuadras, el que se atrevió a dar el primer diagnóstico.

—Cartuchos de sal. Los sufrí cuando era furtivo. Diez días sin poder sentarse.

—¿Y quién ha podido ser capaz de cometer tamaña barbaridad? —preguntó Flora entre sollozos sofocados.

—Lo he visto perfectamente —terció Remigio—. Ha sido Lucas, el guarda de La Manchona.

Alarmado por el griterío, apareció Tomás. El espectáculo le agradó sobremanera. El Cigala ululaba sin descanso, y Tomás no pudo por menos que sonreír. La visión del rival humillado, postrado en el suelo en decúbito supino, con el culo al aire y éste agujereado por miles de partículas sódicas, le satisfizo plenamente. Un rival con el culo agujereado pierde bastante dignidad, y Tomás intuyó en Flora una mueca de decepción. Sin pronunciar palabra, salió de la escena en dirección a la parte noble para informar del sucedido a la autoridad competente, es decir, a la marquesa viuda.

* * *

Marisol se estaba probando un vestido de faralaes. Su seminovio, el estudiante de Arquitectura, le había prometido que en el próximo mayo acudirían al Rocío. Se ajustaba el escote cuando vio que su padre irrumpía precipitadamente en la casa.

—¿Qué te pasa, padre?

—Que acabo de desgraciar al Cigala.

—¿Te has vuelto loco, padre?

—Sí, completamente. Si viene la policía, que no sabes nada de mí.

—¡Padre!

—¡Hija!

Habiendo entendido ambos que la conversación no iba más allá, decidieron clausurar la convención renunciando a más discursos.

* * *

La tercera copa nos sentó fenomenal. Mi afecto por Arturas crecía sin orden ni concierto. Nos encontrábamos los dos a gusto y divertidos. Por mi parte, debo reconocer que también un tanto escamado. No obstante, me atreví a invitar a Arturas a La Jaralera.

—Nunca de jamás, Cristián. Yo guardo recuerda de tu madre de cuando ella y yo éramos jóvenes. Mi gran amor ha sido. Quiero morir con su recuerda intacta, su juventud pura, su cuerpo fresco y buenísima. Los lituanos no decimos mentiras, Cristián. Tu madre estaba mejor que churros con chocolata. Ella es ahora vieja mucho, y yo viejo mucho más. Voy a cumplir noventa y tres años. No puedo ver a madre tuya, mi amor, mi lucero.

—Lo comprendo, Arturas. Estás en lo cierto. Mamá está horrorosa, y se le ha puesto cara de pájaro.

—Siempre tuvo cara de pájaro algo.

—Pero le encantaría verte. Lo que no comprendo es por qué, siendo tan amigos, habéis estado más de sesenta años sin noticias el uno del otro.

—Fácil explicar. Tu madre era joven alumna academia de baile. Yo casado con lituana celosa y mala. Tres hijos, Valdemaras, Arvidas y Perika. Tu madre, diecisiete años, yo veintitrés. Ella, bailarina estupenda. Yo amor, profundo. Cuando mi mujer, Filipas, enterarse, armar gorda.

—¿Enterarse de qué?

—De que yo, amor por tu madre.

—¿Amor limpio, Arturas?

—Como blanco alhelí. Nieve de Siberia.

—¿Y...?

—Ella furioso hacer maletas, y nos marchar a Moscú. No poder despedir tu madre, que estaba buenísima aunque con cara de pájaro algo. Luego Guerra en España, Guerra Mundial, campos de concentración, vida difícil, falta de decisiones... Mira, Cristián.

Miré, y descubrí un pequeño paquete envuelto en papel de seda azul.

—Tú entregar esto a madre tuya. Tú decir de mía parte que yo entregar con sesenta años de mucho retraso. Sólo eso. Y habla también de que vuelvo a Lituania a morir, y mi último pensamiento de antes de muerte, yo reservo para ella. Yo llamaba a madre tuya «gacelita».

—¿Gacelita?

—Gacelita traviesa y picorana.

—Será «gacelita traviesa y picarona».

—Eso. Tu madre, picarona. Buenísima, pero con cara de pájaro algo.

—¿Otra copa, Arturas?

—Bar todo, Cristián, bar todo.

* * *

Lucas se había acostado. Simulaba una gripe y tosía con muy escaso nivel dramático.

—Si viene la policía, que he estado todo el día en la cama, Marisol.

—¿Por qué has hecho eso, padre?

—Porque el amor ciega, hija, y a mi Flora no le pone la mano encima nadie.

—Pues hay uno que no se la quita de encima desde hace mucho tiempo, padre.

—Por eso me he vuelto loco, hija.

—Padre, eres un antiguo.

—Soy un hombre.

—Muy antiguo. Si una te da la espalda, busca a otra. Y resiste. Cela, el del Premio Nobel lo dice. El que resiste, gana.

—Pero el Cela ese no tiene al Cigala como rival.

—Hoy has ganado un poco, padre. A las mujeres nos gusta que los hombres disparen por nosotras. Tranquilo, padre, que si viene la policía, aquí estoy yo.

—Gracias, hija. Y súbete el escote.

—A mí me encanta que me vean las tetas, padre.

—Tú misma, hija.

* * *

—Por desgracia no se puede hacer nada. Esta pomadita para aliviar el escozor, muchos baños en agua fría, y a esperar que vaya diluyéndose la sal en su organismo. Pasará una semana atroz. Cuando le moleste más de lo soportable, tómese una pastilla de Calmodor.

El doctor hizo una pausa, miró al Cigala con lástima, y prosiguió su perorata.

—Mi deber es denunciar en el cuartelillo este extraño episodio. Espero que lo comprenda.

—Lo comprendo, doctor, pero le ruego que no lo haga. No tengo prestigio en el cuartelillo. Mi reputación en la Guardia Civil está por los suelos. Además, doctor, el que me disparó no quiso matarme. Son cosas de hombres, de mujeres, de celos, de pasiones, que aquí en el campo se hacen más fuertes.

—Lo que han hecho con usted es muy grave. Se ha cometido un delito. De haberle dado en los ojos estaría ciego.

—El que ha disparado, doctor, sabía distinguir perfectamente entre los ojos y el culo. Me ha tirado al culo para avisarme. Déjenos estar, doctor, que aquí en el campo nos arreglamos con nuestro código.

—Pepe tiene razón, doctor —intervino Flora—. Si hay denuncia, el mayor perjudicado será él. Ha vi-

sitado el cuartelillo muchas veces, y a pesar de tan frecuente trato, no acaba de caerle bien al cabo comandante. Según el cabo comandante, mi Pepe es un chorizo.

—Bueno, déjenme pensarlo. Por ahora no voy a moverme, pero si hay infección y su salud se resiente, no tendré más remedio que poner la denuncia.

—Gracias doctor. No habrá problema. Pomadita va, pomadita viene, agua que va, agua que viene, y en siete días, mi Pepe podrá correr la maratón esa —prometió Flora.

—Pues nada, a mandar. Ea.

—Ea —dijo el Cigala a modo de agradecimiento.

—Una última cosa —se detuvo el médico—. Aunque sólo sea por curiosidad. ¿Sospechan de alguien como autor de esta bestialidad?

—No sospechamos, doctor. Sabemos quién es. Pero no se preocupe. No habrá venganza ni reyerta. Bastante tiene con el desamor. Mi culo se curará, pero lo suyo es más grave.

—Prométame que no hará una locura, Cigala.

—Se lo juro por mi madre, doctor.

—Ea.

—Ea, y con Dios.

* * *

Llevamos siete copas cada uno. Gran tipo ese Arturas. Ahora, sólo con pensar en Mamá, se pone a llorar. En el cuarto vaso acordamos tutearnos, para facilitar la cercanía.

—Pasado mañana Madrid. De Madrid, a Vilna. Allí, horrible Filipas me espera aeropuerto. De aeropuerto, a casa mía de campo, en bosques de Krivilankas. Ya no más salgo hasta muerte.

—No seas cenizo, Arturas. Estás más fuerte que un abedul.

—Abedules muchos en bosques de Krivilankas. Mueren como los hombres.

—Arturas, toca madera, que hablas de unas cosas que me ponen los pelos de las piernas que atraviesan los calcetines.

—Tú cachonda grande, Cristián. También tu madre muy cachondo.

—No te pases Arturas. Mi madre, de cachonda, nada. Muy fría y muy tiesa.

—De joven era cachondo mayor de academia de baile. Reía sin parar de reír, y movía culo como ardillita *Tambora*.

—De verdad, Arturas, que cuanto más me hablas de Mamá, menos la reconozco.

—Me enseñó a decir tacos. Puta, coño, cabrón, leches. Era cachondo, cachondo.

—¿Y de verdad era guapa?

—No guapa, arrebatadora. Junco, flexible, muy pechos duros, sólo cara de pájaro algo.

—¿Salía ya con Papá?

—No, ella no compromiso. Tu padre, luego. Yo, pum pum antes. Lituanos no mentir. Yo a tu madre, seis veces pum pum.

Ni el alcohol podía disfrazar mi escándalo y estupor. O no le comprendía bien, o Arturas Markulonis me estaba soltando en los morros que se había beneficiado a Mamá seis veces cuando era su alumna en la academia de baile.

—Cuando íbamos a pum pum por séptima vez,

apareció Filipas y muchos gritos, muchas palabras feas, y nunca más vi tu madre. Llorar meses y meses y años y años. Yo querer que tú entregues paquete misma esta noche. Y beso grande. Pero no cuentes que te he dicho que seis veces pum pum.

—No, Arturas, no le diré nada. Y le daré el regalo.

—Otro vodka, Cristián. Yo borracho. Pero yo quiero más borracho todavía. Tú, otro whisky. Tú también borracho grande. Tú hijo de tu madre seguro. Tu madre borracha. De joven, mucho borracha...

* * *

Ramona se decidió. Lo hizo por Flora, a la que consideraba una compañera divertida e inmejorable, y también por el Cigala, que a pesar de su invencible condición de granuja, le hacía gracia. Ramona se sabía imprescindible en la casa, porque su categoría de cocinera no se podía discutir. Nacida en Zumárraga y criada en Bermeo, poseía todos los secretos de la cocina vasca y era imposible comer en Andalucía como en La Jaralera. No hacía un año que la duquesa de Alba había intentado llevársela a Dueñas, pero Ramona rechazó la magnífica oferta con contundencia.

—Me gusta vivir en campo, señora duquesa, y señor duque no acaba de «convensher». Yo «sinshera». Siento mucho.

Ramona golpeó la puerta del salón con toques pianos. Se oyó la voz de la marquesa viuda, algo lastimera, concediendo el permiso de entrada.

—Con su permiso, señora.

—Hola, Ramona. Me extraña verla por aquí.

—Vengo para que «recapasite», señora marquesa, que esta casa se está convirtiendo en manicomio grande.

—La oigo, Ramona.

—Capellán ha hecho mal, señora. Flora y Cigala besaban, sí, pero hay amor de verdad en ellos. Capellán acusica y chismoso, y además, Cigala es trabajador y activo. No eche, señora marquesa, que es víctima más que culpable.

—Ramona, la moral de esta casa se ha resentido gravemente con la acción de su pinche.

—Amor nunca es inmoral, señora. Si Cigala se va, yo mañana me marcho con duquesa de Alba.

La marquesa no estaba para recibir más bofetadas. Desde que supo, por Tomás, que su hijo se había citado con Arturas Markulonis, su viejo profesor de baile, su mayor y mejor guardado secreto de juventud, la capacidad de su resistencia se hallaba más que deteriorada. Lo de Ramona era la gota que colmaba el vaso de su inseguridad. Sería imposible encontrar a otra Ramona, y su hijo no admitiría su marcha. Menos aún, a Dueñas, donde nunca eran invitados.

—Déjeme pensarlo, Ramona. A propósito, he creído oír gritos y carreras por el jardín.

—Cosas de su edad, señora marquesa. Nada de nada.

—De verdad que lo pensaré, y si puedo echarme atrás de mi decisión sin quebrantar mis principios de autoridad, perdonaré al Cigala. ¿Qué tenemos para comer hoy?

—Cremita de guisantes con curruscos, ternera asada con patatitas y zanahorias, y para don Ignacio, acelgas hervidas. De postre, para ustedes, petisús de crema.

—Gracias, Ramona, buenas noches. El señor marqués no va a cenar. Está en Sevilla. Que Virginia me traiga una bandeja al salón. Y el capellán, que coma en la cocina.

—Yo en «coshina» no quiero a ése. «Deshepsión» grande me he llevado con hombre de Dios.

—Bueno, pues que coma las acelgas donde usted disponga. Pero conmigo, no. No estoy para charlitas.

—Askerrikasko, señora.

—De nada, Ramona.

* * *

Las once y media de la noche. Estoy completamente borracho. Arturas se ha dormido. A ver qué hago con un anciano de noventa y tres años en estado de extrema embriaguez y con el profundo sueño de la cogorza. Ignoro dónde está instalado, y no pienso recorrer Sevilla de hotel en hotel con este cuerpo al lado. Un camarero, por orden mía, ha salido a buscar a Manolo el chófer. La factura, un dolor. Treinta y siete mil del ala. Aquí está Manolo.

—Manolo. Hazte cargo de este cuerpo conservado en vodka y llévalo al coche. Nos vamos a casa.

Manolo, que es fuerte como un caballo, se lo ha echado a los hombros. Arturas ha abierto los ojos y ha pronunciado una frase absurda. Yo, tambaleándome, he llegado al coche de milagro. El portero me ha ayudado a disponer de mi sitio en el asiento trasero. Nada más complicado que entrar en un coche con doce whiskys ingeridos en apenas tres horas. Manolo ha acomodado a Arturas en el asiento delantero. Al sentirse atado por el cinturón, Arturas ha gritado «¡Stalin cabrón!», pero el sopor le ha vencido. He sacado mi

manta de viaje, una almohadita monísima que me compré en Biarritz y me he tumbado para dormir un poco la curda durante el camino.

—Buenas noches, señor marqués —ha dicho Manolo.

Al llegar a «marqués», ya estaba dormido.

* * *

Don Ignacio se mostraba indignado.

—De acuerdo con las acelgas, de acuerdo con mi promesa de comer sólo verduras, de acuerdo con respetar que la señora marquesa desee cenar sin mi compañía, pero no puedo tolerar, en nombre de lo que represento, que se me sirva la cena en el pasillo del servicio.

—Pues no cena, don Ignacio.

—Pues ceno. Venga las acelgas, Ramona.

—Por favor.

—Las acelgas, por favor, Ramona.

—Así está mejor.

—¿Y de postre?

—Manzanita reineta sin pelar.

—¡Joé!

* * *

Virginia, la sustituta hasta que Flora fuera perdonada, ayudaba a la marquesa a acostarse.

—La estampa de la madre Maravillas, Virginia.

—Ahora mismo, señora.

—La reliquia de san Martín de Porres y el solideo de Pío XII.

—Aquí están, señora.

—Este solideo es el de Juan XXIII, que era muy cabezón.

—Perdone, señora.

—Apague el pasillo cuando se vaya.

—Descuide, señora marquesa.

—Y el cuadrante.

—El cuadrante para que respire mejor, señora. Ahuéquese. ¡Muy bien! Buenas noches, señora.

—Hasta mañana, Virginia.

La marquesa viuda cerró los ojos. Rezó más que otra noche cualquiera. Algo le decía, corazón adentro, que las cosas se estaban poniendo difíciles. Se acomodó el solideo de Pío XII en la cabeza, apretó con fuerza la reliquia de san Martín, y tras besar la estampa de la madre Maravillas, se durmió. No pudo ver, a través de la ventana, las luces del coche que traía a su hijo de Sevilla.

* * *

Manolo frenó dulcemente frente a la puerta de casa. La cabezada del viaje me había venido muy bien. Seguía completamente borracho, pero conservaba la lucidez. Debe de ser la diferencia entre el whisky y el vodka, porque el pobre Arturas permanecía resueltamente tajado y dormido. Tomás, que tiene sus cosas pero es un gran mayordomo, salió a nuestro encuentro al oír el golpe de las portezuelas.

—Buenas noches, señor marqués. Si lo prefiere, no me corresponda al saludo. Tiene usted un aspecto grotesco.

—Estoy borracho como una cuba, Tomás.

—¿Se acordó de mi entradita para ver a Curro?

—Un ojo de la cara me ha costado. En el bolsillo derecho de la chaqueta. La otra es para Manolo, que gracias a él no he entrado en el bar del Colón con la bayoneta puesta.

—Señor marqués, lamento comunicarle que se han traído hasta aquí a un venerable anciano. Hay un señor dormido en el asiento delantero, señor.

—Está mucho más borracho que yo, Tomás. Preparadle un cuarto del ala principal. Que te ayuden Flora o Virginia. Es don Arturas Markulonis, con quien me une una estrecha amistad. Subidlo con mucho cuidado. Ha sufrido una barbaridad en la vida. Tiene una mujer con poco culo que se llama Filipas. Estuvo en un campo de concentración de Stalin, y la señora marquesa viuda fue, y creo que lo sigue siendo, su gran amor. Tratadlo con cariño, como si fuera de casa.

—¿Le ayudo a subir, señor?

—No, Tomás, preocupaos de los restos humanos de don Arturas. Yo, mal que bien, llegaré hasta mi cuarto. Buenas noches, Tomás. Gracias, Manolo.

—Que descanse, señor.

—De nada, señor marqués... ¡vaya curda!

* * *

Vuelta sobre vuelta. La almohada hecha un burruño. Una gotita de sudor —la primera en su vida—, tuvo el atrevimiento de manifestarse por su frente. Murió en la primera arruga de su airado ceño. La marquesa no podía dormir. Nervios, vergüenza, quizá ilusión. ¡Ay, Arturas! ¡Qué ruptura más absoluta con la firmeza! ¡Qué descomposición en los principios y en las enseñanzas! La marquesa luchaba contra la memoria y la claridad de los tiempos felices. Aquellos diecisiete años de luz y mentira, de misal y velo, de baile ceñido al cuerpo del hombre casado que corregía sus pasos y movimientos. Nunca más supo de él. Cuántas veces, desde su silencio melancólico, había pensado en Arturas, en su sonrisa abierta, sus brazos de hierro, su cuerpo atlético, su... (perdón Dios Mío, su... nada, su... nada). Más de sesenta años pensando en su tumba, en su rincón amado de la heroica Lituania, en su buen Arturas. Y estaba ahí, en Sevilla, a menos de una hora, ahí Arturas, Arturas del alma, su único pecado, su secreto, su humillación, su vergüenza. No podía dormir, no quería dormir, le asustaba dormir y perder la tibia compañía de la memoria. Pero no podía aceptar que Arturas la viera. Huiría de su vejez, y lo que es peor, la llevaría hasta el abismo. Perdería su autoridad y probablemente su prestigio de mujer cristiana y honesta. No, Arturas. No y no. La marquesa viuda de Sotoancho no estaba dispuesta a dejarse hundir en el fango del pecado vencido. No iría a Sevilla, no iría. No, Arturas... amor, amor, amor, Arturas de los años rubios y simulados. No iría a Sevilla, jamás, hasta que Arturas se fuera... qué dolor, aquí y se va. Tantos años y aquí, pero es mejor... que se vaya, amor, Arturas, tu gacelita picarona, tu... no, Arturas. Un hijo, la decencia, el Purgatorio... No iría a Sevilla....

* * *

Marisol desayunaba. Bajo la bata, su desnudez bravía y noble. Tenía cuerpo de rica, huesos de rica, andares de rica. Lucas la miraba asombrado. ¿De dónde habrá sacado esta niña ese empaque y tamaña buenez? Su pobre madre, que Dios aguante en su Gloria, era patizamba y rechoncha, culibaja y percherona. Él, Lucas, igual de poca cosa. Y ella, Marisol, la niña, había nacido como de las nubes, de un sueño lejano, y llegó rubia y esbelta, con cuerpo de rica y una inteligencia luminosa. El marqués había abusado de ella, estaba seguro, y con el capricho cumplido, abandonado por otra. ¡Maldito marqués! Porque la niña, aunque resuelta y alegre, llevaba un tiempo con la mirada entre nubes, «las venas con poca sangre / los ojos, con mucha noche», que algo así recordaba de una leyenda antigua. Lucas retiró la mirada, que le daba vergüenza, vergüenza honda, pensar que estaba analizando a su hija, ahí desnuda bajo la abierta bata, como si no fuera de su sangre.

—¿Un café, padre?

—No, hija. Y cúbrete, que estoy harto de tus desnudeces.

—¿No se levanta, padre?

—No, hasta que te vistas.

—Está usted muy raro, padre. Para mí, que acojonaíto con lo del Cigala.

—¿Por qué no subes a la casa y te enteras, niña?

—¿De qué, padre? ¿De la salud del Cigala o de su persecución policial?

—De lo segundo, hija. A mí, lo que le pase al Cigala...

* * *

A mis años, diez o doce whiskis se notan. Frente a mi cama cuelga una preciosa marina de Regoyos. Los que entienden de estas cosas dicen que vale un dineral.

Para Mamá, que Regoyos era un estafador, porque todo lo dejaba a medio pintar. Mamá es tan suya con el arte como con el resto de las cosas. Una noche en Madrid, en casa de los Sueca, ante el retrato de la condesa de Chinchón de Goya, no se pudo aguantar.

—Para mí, Belén, que Goya pintaba a lo loco.

A mi madre, que estará durmiendo ignorante del lío que se avecina, la pintura no termina de convencerla. Pero volvamos al Regoyos. En un estado normal, de sobriedad y sosiego, el cuadro se interpreta fácilmente. Un pedazo de playa, una barca varada y alguna olita espumosa. Pero con diez copas encima, la playa desaparece, la barca navega y las olas ahogan. En esa situación me encuentro, sin playa, zozobrando y a punto de desaparecer entre el oleaje, cuando ha irrumpido Tomás.

—Señor marqués. Buenos días. El invitado sigue durmiendo la mona. Le traigo el desayuno.

Una sucesión de arcadas. Nada me entra y todo me sale. Me creía en plena noche, y resulta que ha nacido el día.

—Tomás...

—¿Señor?

—Me parece que me he hecho el pipí encima.

—Es muy natural, señor. Ayer bebió más de la cuenta.

—Confío en tu discreción.

—Nadie sabrá que se ha hecho el pipí encima.

—Odio ese cuadro, Tomás.

—Si quiere, me lo llevo a mi cuarto.

—Sí, por favor. Me marea. No quiero desayunar. Voy a intentar dormir una horita más. Un pijama sequito, Tomás. Ayúdame, por favor.

—Me da muchísimo reparo, señor marqués.

* * *

Simultáneamente, Virginia entraba con la bandeja del desayuno en el cuarto de la marquesa. Ahí estaba, en la cama, apoyada en su mejor cuadrante, con los ojos abiertos como platos.

—Señora marquesa, el desayuno.

—Llévatelo, puñetera.

Virginia escapó a todo correr sin dar crédito a lo que había oído.

* * *

Marisol tomaba el café con Ramona cuando llegó Virginia a la cocina. Lloraba desconsoladamente. Flora se unió al grupo.

—¡No puede ser, no puede ser!

—¿Qué ha pasado, Virginia? ¿Por qué lloras?

Virginia intentó hablar, pero no pudo. Marisol se acercó a ella. Virginia experimentaba un temblor general creciente.

—Calma, Virginia, no pasa nada. ¿Qué ha ocurrido?

Flora la tranquilizaba.

—Por las mañanas está horrorosa, pero no tanto como para que te pongas así. Explícate, criatura.

Ramona, más pragmática y eficaz, dio un ultimátum.

—O te calmas sola, o te calmo yo a golpes.

Virginia abrió los ojos, susurró algo, y se dejó vencer por el soponcio.

* * *

Arturas Markulonis se despertó como todo buen ciudadano del Este de Europa. Fresco como una lechuga. Esa circunstancia le ayudó a llegar a una conclusión azarosa. No había dormido en el hotel. Aquella habitación que le amparaba era infinitamente más lujosa que la que tenía asignada en su hotel de Sevilla. La segunda conclusión vino de inmediato. Si no se hallaba en su cuarto, es que estaba en otra parte, y en esa otra parte, no tenía ropa limpia, ni cepillo de dientes, ni peine, ni su frasco de loción para mantener fuerte aquella blanca melena que tanto gustaba a las mujeres. Se tranquilizó cuando dedujo, por el buen gusto y lujo reinantes en aquel habitáculo, que no estaba de nuevo en un campo de concentración de Stalin. Entonces recordó la noche anterior. Y se puso de los nervios. Se hallaba, ni más ni menos, que en casa de los Sotoancho. Se hallaba, ni más ni menos, que bajo el mismo techo que su amada Cristina. Se hallaba, ni más ni menos, que a dos pasos de su mejor memoria, su más dulce recuerdo, su juventud vencida. Quiso salir, huir de su ilusión y echar a correr por el pasillo en pijama. Lo malo, y ahí la tercera conclusión, es que no llevaba puesto pijama alguno. Estaba en porretas. Y un lituano bien educado jamás ha recorrido en porretas las casas ajenas.

Muy tímido, muy arrugadito, muy suyo, Arturas Markulonis se sentó en la cama, apoyó su espalda en la almohada, y se dispuso a esperar acontecimientos.

* * *

Virginia se había calmado. Relató su experiencia y nadie la creyó. Flora casi supera la más alta cota de la incredulidad. ¿Cómo iba la señora marquesa viuda a soltar semejante grosería? Claro, que Flora ignoraba que su señora marquesa, en su primera juventud, enseñaba tacos a los lituanos y movía el culo como la ardillita *Tambora*.

* * *

—Tranquilo, padre. Nadie te ha denunciado —le anunció Marisol a Lucas.

—¿Y me está esperando el Cigala? —preguntó el guarda a su hija con más miedo que vergüenza.

—No, padre. En esa casa están sucediendo cosas rarísimas. Lo tuyo con el Cigala ha perdido todo su interés.

—Que Dios te pague esta información, niña.

—Y que a usted le perdone.

* * *

Solicitado el permiso, Tomás entró en la habitación de invitados.

—Señor Markulonis. Ayer le deposité aquí. Me llamo Tomás y soy el ayuda de cámara del señor marqués. Durante su estancia en La Jaralera podrá disponer de mis servicios a su antojo.

—Gracias. Yo en pelotos. Yo no cepillo de dientes. Yo no peine. Yo no ropa limpia. Yo pedir a Tomás arreglarme esta vaina.

—Su ropa interior está siendo planchada ahora mismo. Su traje está ya cepillado y dispuesto y sus zapatos limpios. El cepillo de dientes, el peine, la colonia y lo que usted desee, se lo traigo al momento.

—Gracias, Tomás. Usted mayordomo imperial. Usted teta.

—En dos minutos lo tendrá todo. Encantado de servirle y conocerle, don Arturas.

* * *

La marquesa se había vestido con antiguo antojo, con gusto ilusionado. Le temblaba el papo como a un pavo juguetón, y luchaba contra sus impulsos. Quería salir, pero lo temía. Ansiaba ir a Sevilla y toparse con Arturas, pero al tiempo le aterrorizaba el encuentro. La marquesa, que jamás había llorado en público, y sólo en privado cuando recordaba lo mala que era con Sissi su suegra, no pudo impedir que una lágrima paseara por su rostro de pájaro. Llorada la lágrima, no resistió la tensión creciente y soltó un grito selvático, de desahogo.

* * *

La Jaralera, entretanto, era un milagro. En La Manchona, las encinas habían perdido el ocre postizo de la primavera, y los álamos del Sotillo de las Garzas, revivían de verde joven formando una barrera contra el sol que amparaba a la umbría. Tres parejas de oropéndolas se disputaban sus ramas, y los pitoreales se adueñaban de sus troncos. La Dehesa se ofrecía inventada por un genio enloquecido por los colores. Malvas, violetas, amarillos, blancos y verdes tiernos se mordían entre sí para imperar en la llanura.

El agua del lago parecía pintada de azul cobalto. Más incolora y turbia bajaba la corriente del Guadalmecín, que iniciaba su temporada de lentitud y pereza. Las orillas de la Albariza de los Juncos recobraron la vida intensa y zumbona de los insectos. Quedaron unas pocas parejas de ánsares, que sumadas a las que, año tras año, elegían esta tierra renunciando a su cuna del norte de Europa, completaban una presencia nutrida y permanente de desertores del frío.

Iniciaban los venados sus vergüenzas del desmoche. En la casa, la explosión creciente de las buganvillas, que el último invierno, Pepillo el jardinero cubrió con cariño las noches de las heladas. Se sabe que las rojas y las moradas resisten, pero las naranjas, blancas y amarillas sufren demasiado con las bajas temperaturas. Nuevas lantanas y damasquinas en tapices tupidos, que en verano se harán compactos, y los rododendros, esplendorosos. Allí las camelias fuertes y blancas, y en los magnolios asomaban ya los primeros capullos.

Lucas descubrió en el remanso que se forma bajo el Puente de los Plumbagos, a una pareja de malvasías. En unos años, si la fortuna no lo remedia, quizá no quede ni un solo ejemplar de pato malvasía en su último refugio de la Baja Andalucía. Al contrario, los azulones, las cercetas, los porrones, los colorados, los tarros y hasta los zampullines se multiplican sin cautelas. En los atardecielos, las gallaretas se adueñan del aire, y días atrás, también observados por Lucas, dos cisnes negros, arrogantes, antipáticos y bellísimos se posaron sobre las aguas del Guadalmecín interrumpiendo el guirigay de los patos y las garzas.

La Jaralera era un milagro.

* * *

Me desperté sobresaltado. Eran más de las once de la mañana. Boca seca, acidez, dolor de cabeza y todo lo que es admitido por la resaca. Tomás hizo su entrada.

—Buenos días de nuevo, señor. Su invitado, don Arturas Markulonis está vestido. Me pide permiso para verle.

—Ahora no, Tomás. Que no salga de su cuarto hasta que yo vaya a su encuentro. Me doy un baño rápido y estoy con él. ¿Se ha levantado ya la señora marquesa?

—Parece que sí, según Flora y Virginia. Pero no sale de su habitación. Señor marqués, hoy parece que nadie quiere salir de su cuarto. Don Ignacio, el capellán, no se ha podido vestir por la debilidad.

—Pues que se quede en la cama. Lo importante, lo fundamental, es que don Arturas no se mueva hasta que yo me vista y que la señora marquesa no se encuentre con don Arturas.

—Así se hará, señor.

* * *

El cura sin levantarse, Lucas en la cama, el Cigala postrado curando sus escozores, Arturas prisionero en su cuarto, la marquesa cancelada en el suyo... Sólo Sotoancho se sentía libre y soberano. Se metió en el baño, controló el chorrito de agua caliente y se puso a cantar *Noble espada triunfadora*. Un irresponsable.

* * *

A pesar de la borrachera, Arturas había guardado el paquete para la marquesa. Un precioso huevo de Pascua de Vermeill, imitando a los que Fabergé regalaba al Zar en cada primavera. Abierta la tapa, una inscripción delatora: «A mi amor de su Arturas.» Lo estaba leyendo cuando se abrió la puerta y apareció el marqués.

BARCA.

* * *

Al entrar en el cuarto de mi amigo Arturas, éste pegó un salto y ocultó un objeto en el bolsillo derecho de su pantalón.

—Te he visto, pájaro —le dije con campechanía.

—Regalo para madre tuya. Yo envolver de nuevo.

—Pero antes me lo enseñas.

—Antes me cortas huevas.

—No seas tonto. Más tarde o más temprano Mamá me lo mostrará.

—Nunca. Sólo para madre tuya. Es nuestra secreto.

—Lo que tú quieras, Arturas. Ya que te has vestido, acompáñame al salón. Mi madre no sabe que estás aquí.

No tengo capacidad para describirles el nerviosismo del pobre lituano. Un soponcio de Rocío Jurado es la imagen viva del sosiego comparada con la actitud de Arturas. Todo, menos que se muera de un infarto.

—Arturas, si lo deseas, esperamos un poco.

—¡No! ¡Ya decidido! ¡Saludar a ella! Pero antes, tú permitirme que yo haga paquete regalo con puta cuidado.

—Hablas como un carretero, Arturas.

—Madre tuya enseñarme palabrotas.

Sigo con la boca abierta.

* * *

Flora lloraba en la cocina. Se sentía humillada por la situación. Quería recuperar su puesto, su cargo de privilegio dentro del servicio. Tomás no le dirigía la palabra, Lucas se había convertido en un asesino frustrado por su culpa y su Pepe *el Cigala*, convaleciente de su culo a la sal, le acababa de dar un mazazo descomunal, casi la puntilla.

—Florilla, me voy a alistar en el Tercio. En siete años, cabo primero. Todo, menos seguir aquí, que esta casa tiene más peligro que un apache cabreado.

* * *

Don Ignacio no tenía fuerzas para moverse. Acostumbrado a una alimentación abundante y generosa en féculas y azúcares, se sentía débil y desamparado. Intentó hacer un esfuerzo y encomendarse a san Jhonatán de Jabugo, pero le dio mucha pereza y se dejó llevar por la modorra. Cuando a punto estaba de perder el sentido, alguien golpeó la puerta de su estancia, la abrió desde fuera y depositó en el suelo una bandeja con un plato de fabada y diez buñuelos de crema. Cosas del Demonio. Buen muchacho el Demonio. Se tiró de la cama, reptó hasta la bandeja, y en menos de un minuto se zampó toda la tentación.

El Demonio, Tomás, no perdió detalle del curso de los acontecimientos.

* * *

Se posó en la butaca de los rezos un calambre de nervios. Ella, tan fría, tan calculadora, tan seca, no podía dominar el meneo de sus músculos. Buscó su viejo misal Lefévre, y lo abrió por la página donde guardaba el recordatorio de su marido. Besó la fotografía de su esposo, cerró los ojos y se puso a orar. Fue entonces cuando se abrió la puerta. Su hijo Cristián precedía a un anciano altísimo, elegante y de blanca cabellera. Enfocó su cansada mirada en el intruso y se quedó sin habla. Era Arturas Markulonis.

—¡Arturas!

—¡Cristina, mía ardillita *Tambora*, mía gacela picarona!

Los impulsos no se calculan. Viene la fogarada, la inesperada tromba de la dicha, y hasta dos ancianos pueden emular el encuentro de dos amantes encontrados tras el tiempo y la distancia. Ante el estupor del marqués de Sotoancho, su madre, la marquesa viuda, se incorporó de la butaca y se lanzó como una jaguara decidida a los brazos de Arturas. El abrazo fue largo, intenso, sólo interrumpido por los jipidos de ambos, extraordinariamente violento para un hijo presente. Pero el marqués ya no era el de antes. Años atrás habría intervenido. Ahora, y en las actuales circunstancias, dejó estar.

—¡Más de sesenta años para de nuevo verte, Cristina!

—Creía que habías muerto en la Guerra Mundial.

—Yo vivo gracias esperanza tuya. Mira conejito. Tu pitilla.

La marquesa contempló la vieja pitillera de plata con emoción incontenida. Con una mano, acarició suavemente el rostro duro y devastado de aquel hombre invencible.

—Yo traer esto para ti. Mandé hacer a joyero lituano.

La marquesa recibió el paquete, pero no dejaba de mirar a los ojos húmedos y machos de Arturas.

—Ábrelo, Mamá —ordenó el marqués.

Poco a poco, la marquesa fue desnudando el paquete. Cuando apareció el huevo de Pascua de Vermeill, se le escapó un gritito de ilusión.

—Es maravilloso, Arturas.

—Sí; reconozco ser la polla. Dentro, palabras. Sólo para ti.

Con sus dedos del tamaño de los percebes, Arturas abrió la tapa y le mostró la inscripción a la marquesa. Ella la leyó, cerró suavemente el huevo, y con un hilo de voz casi imperceptible, susurró:

—Gracias, gracias, gracias.

Por primera vez en su vida, daba las gracias tres veces.

Notando que su presencia podía violentar, y hasta estropear la escena, Sotoancho, muy piano, muy quedamente, casi deslizándose sobre la alfombra, desapareció.

El amor quedó solo y sin testigos en el salón de La Jaralera.

* * *

Don Ignacio se había levantado. Ya tenía fuerzas para andar. Tomás aguardaba a su presa.

—Ha roto de nuevo su promesa, don Ignacio.

—Un malvado me ha hecho caer en la tentación. Un enviado de Satanás. Un cómplice de Mefistófeles. Un canalla.

—A la señora marquesa va.

—¡No, Tomás, por lo que más quieras! ¡No te chives!

—De acuerdo. Pero sólo con una condición. Dígale a la señora que Flora ya se ha confesado. Y que usted ha actuado con perversidad.

—Prometido, Tomás. Incluso le diré, que en mi opinión, tú eres el hombre indicado para hacerla feliz.

Don Ignacio Zarrías, capellán de La Jaralera con más de diez años de servicios en la casa, confesor de la marquesa viuda de Sotoancho, se dirigió raudo y veloz a cumplir con su promesa. Cuando ingresó en el salón, quedó mudo del espanto. Como si se tratara de Flora con el Cigala, allí estaba la marquesa viuda besándose apasionadamente con un individuo muy alto y completamente desconocido.

—¿Desea algo, don Ignacio? —preguntó la marquesa interrumpiendo su morreíllo.

El capellán no pudo responder. Aquello era demasiado. Escapó pasillo hacia el sur, y se refugió en la capilla. Se puso a rezar, no sabía por qué ni por quién, pero rezó como un loco.

* * *

Estoy chocadísimo. Lo de Mamá y Arturas tuvo que ser muy gordo. Nunca la había visto así, tan impresionada, tan derretida, tan rotundamente entregada a una ilusión. Necesito tiempo para acostumbrarme a la nueva dimensión de mi madre. Ahora va a resultar que ha sido un pendón desorejado.

* * *

Flora seguía llorando sin consuelo ni medida. A su sanción laboral había que sumar su quiebra anímica. Su Pepe, su Cigala, era hombre de decisiones inflexibles. Se iría al Tercio. Se lo figuró con el uniforme de legionario, y un regustillo de orgullo se apoderó de su cuerpo. Pero difuminada de nuevo la imagen figurada, volvió al llanto sin el menor recato.

—Si lloras más, te arreo —dijo Ramona.

Y se le agudizó el berrinche.

* * *

La marquesa y Arturas hacían manitas, y de cuando en cuando se picoteaban.

—Es como si la juventud hubiera vuelto de golpe.

—Yo mismo siento, ardillita. Pero yo triste, porque mañana marcho a Krivilankas. Allí Filipas, mi morsa.

—No puedes dejarme así, después de tantos años.

—Si quieres, pum pum.

—Espero que no le habrás contado a mi hijo lo de los pum pum.

—He contado todo. Muy impresionado. Lituanos nunca mentir.

—Me muero de vergüenza, Arturas.

—Es situación gilipollas.

—No se te han olvidado las palabrotas, mi amor.

Ambos rompieron a reír, y se besaron de nuevo. En ésas estaban cuando Virginia entró en el salón. Pocos minutos después, se hallaba en la capilla, rezando junto a don Ignacio.

* * *

De repente, he visto la luz. No hay mal que por bien no venga. Si el romance de mi madre con Arturas no es consecuencia de mi ingenuidad, si es verdad que ellos se amaron; si no es falso que mi madre mantuvo con Arturas una relación fuerte aun conociendo el estado civil del borrachín lituano, yo me pregunto: ¿qué autoridad moral tiene Mamá para impedir que yo me case con una mujer divorciada? Y aún peor. ¿Qué firmeza apoya a su negativa a que mi futura mujer sea la hija de un guarda? Todo se aclara, todo se abre, todo me sonríe.

* * *

—No puedes marcharte, Arturas. Me moriría de pena.

—Muerte ya no es pena, ardillita, es realidad inmediata. Yo allí mis últimos días. Pero viviré lo que queda con emoción de encontrarte habido.

—Quizá es mejor lo que dices... pero ¡qué pena!

—Y qué alegría gorda que Dios nos haya permitido otra vez vernos, coño.

—Es verdad, Arturas. Al final de nuestras vidas, hemos tenido el premio. Un regalo inesperado.

—Tu hijo es puta madre de hijo. Gran simpático. Yo querer mucho.

—Llevamos una mala temporada. Se quiere casar con una cualquiera, Arturas. Yo me opongo.

—Tú no oponer ni leches de oponer. Tú dejar libre. Amor libre, volar solo. Tú respetar.

—Una colombiana divorciada o la hija de un guarda. Lo peor, Arturas.

—Tú enamorada de joven de hijo de un obrero. Tú no poder decir no. Además, tu cascar pronto, como yo. Vida para jóvenes.

—No, Arturas. Mi hijo tiene unas obligaciones...

—¡Cierra pico de loro! Tu hijo elegir mujer. Tú autorizar.

—No te vayas, Arturas...

—Sí. Irme por dos motivos. Quiero morir en país mío, allí mis hijos. Y no quiero ver a mi amor convertido en bruja mala. Yo ir inmediatamente.

—Arturas...

—Ni Arturas ni culos. Yo no quiero ver a mi ardillita como lobo malo. Tú dejar a Cristián campo libre. Y yo ir feliz a morir mi tierra con recuerdo de luz de mi amor grande.

—¡Mi amor!

—¡Mi gacelita picarona!

* * *

Ramona llamó a Virginia. No la encontró. Flora seguía llorando sus penas. Tenía que preparar la comida, saber cuántos serían los comensales y proponer el menú. A falta de enlace, como era habitual cuando Flora ejercía de doncella de la marquesa viuda, tomó la decisión de consultar con la señora. Entró en el salón en un momento que jamás habría de olvidar. La señora marquesa estaba postrada de rodillas ante un anciano de lo más respetable. «Pareshe vasco», pensó Ramona nada más verlo. Lo malo es lo que oyó dos segundos después.

—Arturas, mi amor. Abandona a Filipas y quédate conmigo para siempre. ¡Quiero volver a ser tuya!

Ramona no estaba preparada para trance tan sorprendente, y abandonó el salón profundamente consternada. Poco después se hallaba rezando en la capilla, junto a don Ignacio y Virginia.

* * *

Lucas se vistió, se ajustó la bandolera, besó a su hija y emprendió el camino hacia la casa. Había decidido pedir perdón al Cigala y confesar su pésima acción al marqués y a su madre. Al llegar al portalón principal, Tomás le hizo saber que el marqués no estaba disponible.

—Se ha encerrado en el despacho y me ha sugerido que nadie le moleste. Buen tiro, Lucas.

Al ver a Flora en la cocina, Lucas sintió un pálpito de miedo. Se disculparía con el Cigala más tarde. Antes, debía cumplir con su deber de guardia jurado. Confesar honestamente que había abusado de su juramento y de la confianza de sus señores. Se dirigió al salón para hablar con la marquesa. El sombrero en la mano, los pantalones de pana tórridos del susto, el sudor desbordando su honrada frente de hombre bueno.

—Con su permiso y dispensa, señora marquesa.

El cuerpo que se encontraba de espaldas a Lucas no era el de la marquesa. A la señora marquesa sólo se le veían las manos, que sujetaban como una argolla de acero, el cuello de un hombre inmenso.

—Ni permiso ni dispensa, Lucas. Déjeme en paz. Todo el mundo se ha puesto de acuerdo para interrumpirme. Váyase inmediatamente.

Pronunciada la última palabra, la marquesa se agarró de nuevo del cuello del desconocido. Lucas creyó oír la palabra «amor».

Un minuto después, aquel guarda rudo y sufrido, aquel hombre acostumbrado a fríos y calores, a noches en vela y largas caminatas, al dolor y las estrecheces, se sumaba en la capilla al nutrido grupo de orantes.

* * *

Estoy intentando hablar por teléfono con Marsa. En Bogotá, si no calculo mal, serán las siete de la mañana. Buena hora para sorprender a mi tucana, a mi dulzura caribe, a mi delirio de hombre. Una voz susurrante y cantarina me responde.

—¿Doña Marsa Restrepo Olivares?

—Soy yo. ¿Quién es?

—Cristián, amor mío.

—¡Pumita! ¿Qué horas de llamar son éstas?

—Marsa, ven inmediatamente. Toma el primer avión. Convence al piloto para que aterrice en Sevilla antes que en Madrid. Mamá ha sido derrotada. Hemos vencido.

—Calma, mi yaguareté. En pocos días han sucedido muchas cosas aquí, en Bogotá. Lo nuestro ha sido maravilloso, pero no creo que sea conveniente que nos volvamos a ver. Guardaré siempre el mejor recuerdo de nuestro romance.

—¿Ya no me quieres, Marsa?

—Te venero, mi amor. Pero nuestros mundos no coinciden. Mi deber con el destino ya está cumplido. Ahora eres tú quien tiene que enfrentarse a la vida, a tu vida, en España. Siempre serás mi puma. Te adoro. Adiós, colibrí.

Marsa ha colgado. Si no me equivoco, me ha dado a entender que nuestras relaciones han sido unilateralmente rotas por su parte. Todavía no salgo de mi asombro y me nubla una inesperada tristeza. Según ella, mi destino está en España. No sé qué habrá querido decir. Lo único claro es que me ha abandonado. Me pincho una vena y en lugar de sangre, me brota asombro.

* * *

La calma y Flora, al fin, se habían puesto de acuerdo, al menos aparentemente. El problema del Cigala, su decisión de engancharse a la Legión para huir del peligro físico que le amenazaba en La Jaralera, le dolía menos que su postergación, casi degradación, en la cúpula servicial de la casa. El ascenso inesperado de Virginia, a la que encomendó la marquesa el desempeño de sus antiguas funciones, tenía a Flora hondamente dolida. Con la jerarquía no se juega. Secó sus lágrimas, fortaleció los músculos faciales, se vistió con el uniforme vespertino y se dirigió decidida a mantener un cara a cara con la señora marquesa.

No se hallaba en su cuarto. Descubrió una leve capa de polvo sobre la vitrina de los solideos papales. Prueba manifiesta de que Virginia no cumplía estrictamente con sus obligaciones. El cuadrante no ocupaba la mitad de la almohada, y Flora lo colocó en su sitio, como en los últimos años. Con el plumero, liberó de un polvillo inexistente el lomo del libro preferido de la marquesa, *San Francisco de Borja, un duque santo*, y tras comprobar que todo estaba donde tenía que estar, encaminó sus pasos hacia el salón.

Algo la detuvo. Una charla piana y lastimera, un diálogo contenido de tristezas y melancolías.

—Dios nos concede esta oportunidad para vivir juntos los últimos años de nuestras vidas, Arturas.

—No de acuerdo, Cristina. Amor de cierto, daño no puede hacer. Si yo aquí quedo contigo, daño hago a hijos míos, Valdemaras, Arvidas y Perika. Tú, adúltera de cojones, mi ardillita.

—Dios nos perdonará, Arturas. El amor es obra suya.

—No, gacelita picarona. Yo ir. Yo ir ya, a pastilla toda. Yo no soportar más tortura de verte. Tú no llorar, tú no detener mi decisión. Yo no cagueta, yo responsable.

—Un último beso, Arturas. Un último beso, mi bellísimo oso lituano.

—Último y basta. Lituanos no mentir. Tú ya no estar buena. Tú vieja bastante. Alma joven, pero vieja bastante. Cuello con papos.

—¡Mi amor!

Flora se atrevió a meter la cabeza por el marco de la puerta. Allí estaba su señora, su fiscal, su salvadora de los peligros de la carne, su acusadora del amor, abrazada al hombre más alto jamás visto por sus ojos de serrana.

Se sintió victoriosa. Supo que la razón estaba de su parte, pero no pudo impedir que la semilla del escándalo floreciera en su alma. Y tomó la más bella de las decisiones. Acudir a rezar por la felicidad de aquella mujer, que al fin y al cabo, era como todas. Una mujer que amaba un imposible. Le costó bastante encontrar un reclinatorio libre en la capilla. Estaba abarrotada de fieles.

* * *

—Tomás, la señorita Marsa ha preferido quedarse en Colombia. La verdad es que lo siento, porque habría sido una gran marquesa de Sotoancho, y su charlita era muy divertida.

—Y estaba buenísima, señor marqués, si me es permitida la sinceridad.

—Se te permite si prometes no insistir en ella. En efecto, estaba buenísima.

—¿Y ahora, señor?

—Tengo que hablar con Marisol. Tengo mucho de ella todavía en mi alma. Me molesta lo del compañero de Arquitectura, pero la vida moderna nos obliga a perdonar.

—Sería muy bonito, y las revistas del corazón se volcarían con la noticia. Un marqués que se casa por amor con la hija de un guarda. La Cenicienta, señor.

—La Cenicienta no engañaba al príncipe con un maromo, Tomás.

—Ni el príncipe a la Cenicienta con una colombiana.

* * *

Dejé a Tomás con sus impertinencias y me dirigí al salón. Los tortolitos llevaban más de dos horas a solas, y no quería disgustos. Me los encontré en un estado lamentable. Mamá había llorado —¡Santo Dios!—, y del rostro de Arturas no quedaba nada de su sonrisa.

—Cristián. Gracias por oportunidad. Por favor, yo rogar que coche tuyo me lleve a Sevilla. Mañana avión Barajas.

—¿A qué hora quieres el coche, Arturas?

—Ya, ya, ya.

—Ahora mismo le doy instrucciones a Manolo. ¿Por qué no te quedas más tiempo?

—Tú sabes. Ya dije en bar del Colón. Mi visita era para dar regalo, no para ver. Misión cumplida. Gracias al cielo también he visto, y me voy con pena mucha, pero con alegría más.

—Me ha encantado conocerte, Arturas. Al fin y al cabo, he podido ser tu hijo.

Al oír mi sentencia, a Mamá se le coloreó el rostro con un tono que envidiarían las más sanas amapolas.

—Os dejo solos para la despedida. En cinco minutos tendrás el coche en la puerta.

Me fui, triunfante y feliz. Ahí quedaba Mamá con su pecado a solas. En los garajes, Manolo limpiaba con mimo el viejo Bentley. Un detalle por mi parte. Llevar hasta el aeropuerto de San Pablo al viejo amante de Mamá en el coche que Papá más quería.

—Manolo, tienes que llevar a don Arturas al aeropuerto.

—¿Ebrio o sobrio, señor marqués? Porque pesa una tonelada.

—Sobrio, Manolo. Y en el Bentley.

—En un santiamén lo tengo todo dispuesto, señor.

Me quedaban cinco minutos. No quería interrumpir la despedida de Mamá y su potro nórdico. Intentaría hablar con Marisol por la tarde. Pensé, que esos cinco minutos los podría invertir divinamente en una leve visita al Santísimo para agradecerle su ayuda. No pude cumplir con mi propósito. En la capilla no cabía un alfiler. No quise averiguar el motivo de fervor tan unánime. También Dios está en los árboles, y en los magnolios me concentré para darle las gracias.

* * *

El Cigala intentó dar unos pasos, pero la piel le tiraba tanto que parecía dispuesta a soltarse a tiras y

dejarle en carne viva el nalguerío. No obstante, ya inmerso en su espíritu legionario, tomó el camino del sacrificio y el sufrimiento. Se había salvado por los pelos. Nunca había sido religioso, pero Dios, indudablemente, tenía mucho que ver en su salvación. Cojeando, con un dolor espantoso, llegó hasta la capilla. Había un gentío. Con el cambio de luz, apenas distinguía a la muchedumbre que oraba. En un banco rezaba un hombre. Le rogó que se desplazara para ocupar un sitio. Era Lucas, su asesino. Estaba llorando.

* * *

Tenía Arturas los ojos enrojecidos y le temblaban las manos, pero su aspecto resumía la simple sencillez de la grandeza. Empaque de príncipe, andares de cosaco, poderío de oso, corazón de niño. Acababa de dejar a su amor en el salón de la casa, y sabía que nunca jamás volverían a encontrarse. Una niebla de pena pasó por su mirada, y aquel sol brillante y tenaz de Andalucía se ocultó por un momento entre brumas lejanas. Aquí estallaba la primavera, y allí, en su bosque de Krivilankas, aún los abedules mantendrían la desnudez gélida de los inviernos. Se despidió de Tomás, que muy impresionado, casi se emociona con el abrazo de aquel extraño, caballeroso e inesperado invitado.

—Gracias muchas, Tomás. Usted, grande amigo.

—Gracias a usted, don Arturas. Ya sabe dónde me tiene.

Saludó a Manolo, el chófer, más tranquilo tras comprobar que don Arturas estaba perfectamente sobrio.

—Gracias por llevar aeropuerto, Manuelo. Usted amable. También amigo grande.

—Para mí es un honor llevarle, don Arturas.
Entonces se dirigió al marqués.

* * *

Vino hacia mí como un enorme grizzly con los brazos abiertos. Me apretó contra su cuerpo y mi serenidad se desplomó. Sentí un afecto hondo y sincero por aquel hombre. En ocasiones, unas pocas horas dejan más poso que toda una vida.

—Tú, Cristián, en mi corazón estarás hasta muerte mía. Tú hijo de amor de mi vida. Tú, amigo divertido de vodka. Tú generoso y liberal. Tú comprensivo con madre. Ya he convencido mi gacelita picarona para que tú volar libre y elegir esposa que te salga del capullo mismísimo. Ella no oponerse más. Me ha jurado. Tú cuidarla con cariño y paciencia hasta que ella se junte a mí en infinito. En infinito ella conmigo, no con tu padre. Tu padre acabar hasta huevos de mía ardillita *Tambora* seguramente. Gracias de corazón, Cristián, hijo casi mío...

No pude corresponder a sus palabras. Le abracé con fuerza, y le ayudé a acomodarse en el coche. En silencio todo nos lo decíamos. Manolo se ajustó la gorra y tomó asiento. Arrancó. La ventanilla trasera se abrió y una mano tan grande como cansada agarró el aire para dar su último adiós. Yo le respondí con el brazo, moviéndolo pausadamente, para que así guardara el último recuerdo de La Jaralera. El adiós de quien nació de la mujer de sus sueños.

El Bentley se perdió camino de Sevilla.

* * *

Tomás, el irónico Tomás, el anticlerical Tomás, el impertinente Tomás se sentía trastornado. Aquel hombre que se había marchado, don Arturas, era en realidad un personaje de fábula. Excepto al marqués, al que quería al tiempo que despreciaba, Tomás mostraba un desafecto constante a los invitados de La Jaralera. Pero éste era diferente. Un señor como la copa del pino en el que se apoyaba el Cigala cuando Lucas le perforó el culo con granos de sal.

Llevaba años sin entrar en una iglesia. «Ahora que nadie puede sorprenderme, me voy a dejar caer por la capilla. Si Dios existe, tiene que ayudar a este pobre anciano a ser feliz.»

Sorteó el seto de boj y abrió la puerta de la capilla. Se quedó de piedra. Había más gente que en el Rocío.

* * *

La marquesa viuda de Sotoancho estaba agotada y triste. No podía comer. No quería enfrentarse a la mirada triunfante de su hijo. Menos aún a la vergüenza de su actitud con el servicio. Tocó el timbre para reclamar la presencia de Flora, pero no obtuvo respuesta. Tampoco Virginia, ni Tomás, ni Ramona. En aquella casa nadie contestaba. Renunció a la ayuda y ella misma se abrió la cama. Se puso el camisón y se amparó bajo sus sábanas. Entonces lloró todas las lágrimas que se había tragado en ochenta y siete años. Un llanto feliz y desahogante. Y se quedó dormida.

* * *

Pepillo el jardinero, y sus ayudantes Serafín y Juan, llevaban toda la mañana recortando el seto de boj que separa al jardín de la plazuela de la capilla. La pequeña ermita de La Jaralera sólo se utiliza para los grandes acontecimientos. No obstante, aquella mañana estaba muy concurrida. Habían visto cómo entraban por su puerta a don Ignacio, a Virginia, a Ramona, a Flora, a Lucas, al Cigala, a Tomás y al marqués, aunque éste, después de un titubeo, dio un paso atrás y se perdió por la recoleta de los magnolios. Pepillo, como jefe de la sección de jardinería, dedujo que aquella aglomeración tenía que responder a una exigencia de la marquesa viuda o de su hijo. Si el servicio doméstico y el de guardesería se concentraban en la capilla, el de jardinería no podía ser menos. Así que dejaron de recortar el seto y se unieron a la devota masa. La Santa imagen de Jesucristo no daba crédito a lo que sus ojos veían.

* * *

Mamá me rehúye. No quiere enfrentarse conmigo. Es normal y así hay que aceptarlo. Tiene que resultar muy chocante, humillante más bien, que un hijo se entere de asuntos tan celosamente guardados. Su autoridad ha perdido toda su fortaleza. Lo tiene merecido por haber actuado con tanta severidad y cinismo. No voy a regodearme en sus heridas, pero tampoco a permanecer quieto. Según su propio código moral, Mamá es una fresca. Es muy raro que a las dos no hayan anunciado que la comida está servida. No me importa, porque entre la resaca, el pasmo, la emoción y la decepción se me ha olvidado el hambre. Además, he echado un poco de tripita y una comida puede ser pasada por alto.

Como siempre que me siento atribulado, busco la soledad en la Albariza de los Juncos. Ya no puede acompañarme mi viejo y querido *Gus*, al que añoro con locura. Pero en homenaje a su memoria, cuando inicio el paseo, paso junto al tilo que ampara su tumba y le envío caricias y gratitudes.

El sol de marzo parece hoy de junio. Ruido de chapoteo. Seguramente garzas acaloradas. Es curioso que la vida, de cuando en cuando, ofrezca al hombre la oportunidad de revivir sus mejores momentos. No son garzas. Es Marisol, que se está bañando. Igual que el día que la conocí. Pero ya no me escondo.

—¡Hola, Marisol!

—Hola, Cristián.

Toda la belleza de su desnudez ha surgido del agua. Ya en la orilla, con la mayor naturalidad del mundo, se ha cubierto con un mínimo vestido sujeto a sus hombros por dos tirantes. El cuerpo mojado se dibuja bajo la tela y sus movimientos merecen el homenaje de una cámara lenta. Otra vez me sonríe.

—Siempre me sorprendes en el mismo sitio.

—¿Te acuerdas, mi niña?

—Me acuerdo como si fuera hoy. Pero ya no soy tu niña.

—Nunca has dejado de serlo, aunque me hayas engañado con ese petimetre de Sevilla.

—Primero, que no es un petimetre; y segundo, que tú también me abandonaste por una gallinácea de importación.

—Fueron días muy difíciles para mí. Además, según me reconociste, tú me habías puesto los cuernos mucho antes.

—Te mandé el telegrama con muy mala leche. No

te creas ni la mitad de lo que te dije. Claro, que alguna vez... sí te engañé.

—Me dolió mucho.

—No sé por qué. Te engañé sin engañarte, porque tú nunca te atreviste a dar el paso. Te lo hizo dar la gallinácea antes mencionada.

—No me tortures, Marisol. Ya todo ha acabado.

—¿Te ha puesto los cuernos en Colombia?

—Me temo que sí. Además me ha dicho que mi futuro está aquí, y que el suyo no tiene sitio junto al mío.

—¡Menuda zorra!

—Han pasado tantas cosas, que si te las cuento, no te las vas a creer.

—¿El tiro al Cigala?

—¿Qué es eso?

—Te enterarás tarde o temprano, o sea que... pues que mi padre, ciego de celos, le arreó dos cartuchazos de sal al Cigala en pleno culo.

—¡Joé!

—Y Tomás estuvo a punto de rajarle.

—¡Ostras!

—Pero parece que se ha arreglado la cosa. ¿Me acompañas a casa?

—Sólo un poco. Oye, Marisol... ¿sigues viéndote con ese compañero tuyo?

—No, Cristián. Me aburría. La verdad es que no lo comprendo, pero los hombres me aburren más que antes. Eso sí, el día que me dejaste por esa tía, estuve diez horas seguidas chingando en su apartamento.

—Si te parece, prívame de los detalles.

—Y tú con ella... también, ¿no?

—Sí, Marisol. Y muy bien. Me encantó.

—Así que ya eres todo un hombre.

—Ya estoy seguro.

—Pues si ha servido para eso, bendita sea la muy cabrona.

—Todo como ayer, Marisol. Tú y yo solos, y hablando como si nada hubiera pasado.

—No es como ayer, Cristián. Ya eres un tío, pero sigues dominado por tu madre.

—A mi madre que le den morcilla, mi niña.

—Luego te achantas.

—Que te crees tú eso, Marisol. Mi madre, un cero a la izquierda. He vencido. ¿Te lo cuento todo?

—Sí mi am... sí, Cristián. Estoy deseando saber qué ha pasado en esa casa de locos.

—¿Me sigues queriendo?

—Nunca dejé de quererte.

—Pues oye, Marisol. Hace dos días...

* * *

La siestecita, aunque en ayunas, había tranquilizado a la marquesa. Todo pertenecía al sueño, a la ficción. Arturas estaría ya camino de Madrid y su hijo sabría perdonarla. Lo que más le mortificaba era pensar en el mal ejemplo que había dado al servicio. Flora y el Cigala tenían que ser perdonados. Humillante, pero evidente. Con su hijo, lo pasaría mal unos minutos, pero al final le mentiría y volvería a dominarlo. Lo peor, es que también don Ignacio la había sorprendido. Un desastre.

Iría a la capilla a reconciliarse con Dios. En la soledad de la oración, todo aparece más claro. Allí nadie la molestaría.

Ni una sombra en la casa ni en el jardín. Llegó a la

capilla dispuesta a permanecer varias horas solicitando al Señor el sendero de la luz. No pudo abrir la puerta. Una multitud se lo impedía.

—¡Soy yo! —gritó con imperativa aspereza.

La feligresía congregada le abrió paso. La marquesa no entendía nada, pero sintió que Dios le acariciaba el alma. Con muchísima gente delante, pero el alma. Un alma muy manchadita, por cierto.

* * *

Marisol lo sabe todo. No sale de su asombro, y la comprendo, porque yo todavía no he conseguido escapar del estupor. Dos horas junto a ella me han hecho sentir de nuevo el corazón habitado por la ilusión perdida. Nos casamos. Ahora sí que va en serio, y nadie, absolutamente nadie, podrá impedirlo.

Después de besarnos sin tiempo ni prudencias, a punto hemos estado de proceder al fornicio. Pero Marisol ha sido listísima, como siempre.

—Cristián, vamos a ser antiguos. Tú y yo sólo lo haremos cuando estemos casados.

Me ha divertido la idea y nos la hemos envainado, especialmente yo. Como jugamos a antiguos, le he propuesto una travesura.

—Nos vamos a la capilla a dar gracias a Dios por haber puesto las cosas en su sitio. Nos ven entrar juntos y así empiezan a figurarse el tingladillo que se avecina.

—No entro en una iglesia desde que hice la Primera Comunión.

—Pues ya es hora, niña, que a partir de hoy tendrás que dar ejemplo. Te espero aquí. Corre a casa y vístete con menos atrevimiento, que vas a poner a los santos como motos.

Quince minutos después, Marisol y yo, cogidos de la mano, ingresábamos en el santo recinto. El espectáculo nos dejó confusos. La muchedumbre abarrotaba el local. Me recordó a una Misa en San Pedro de Roma que televisaron el pasado año con motivo de la Pascua Florida. Excepto Su Santidad y los cardenales, todito igual.

* * *

Don Ignacio, que había sido el primero en acudir al amparo del Señor, dio por finalizada su sesión de rezos y arrepentimientos. Durante su menester orante oyó toda suerte de ruidos, de puertas que se abrían y cerraban, de pasos y susurros. La concentración devota que le embargaba le impidió volverse para informarse del curso de los acontecimientos. Cuando se incorporó del reclinatorio principal y se dio la vuelta, quedó mudo del susto, posteriormente del pasmo, y finalmente, de gozo. La Comunidad cristiana de La Jaralera se hallaba reunida en la capilla sin exclusión de nadie. Hasta Julio *el Rastrojero*, más rojo que Lenin, estaba arrodillado.

—¡Milagro! —exclamó don Ignacio—. ¡Todos hemos sido perdonados!

La multitud inició un cuchicheo y decidió por unanimidad dar por finalizada la jornada de oración. En el orden que se relaciona fueron abandonando la capilla las siguientes personas:

1. Don Ignacio Zarrías, capellán de La Jaralera.
2. Doña Cristina Belvís de los Gazules, marquesa viuda de Sotoancho.

3. Don Cristián Ildefonso Ximénez de Andrada, marqués de Sotoancho.
4. Doña María de la Soledad Montejo, futura marquesa de Sotoancho.
5. Don Lucas Montejo (de lo más alarmado) padre de la futura marquesa de Sotoancho, aunque ignorara en ese momento su próxima situación de parentesco.
6. Don José González, alias *el Cigala*, víctima de don Lucas Montejo.
7. Doña Flora Bermudo, «ponebaños y doncella mayor» de la marquesa viuda de Sotoancho.
8. Don Tomás Miranda, mayordomo y ayuda de cámara del marqués de Sotoancho, enamorado de doña Flora Bermudo.
9. Doña Ramona Bizcarrondo, cocinera de La Jaralera.
10. Doña Virginia Pollales, doncella de La Jaralera.
11. Don José Villota, alias *Pepillo*, jardinero jefe de La Jaralera.
12. Don Serafín Topete, jardinero ayudante.
13. Don Juan Carrasco, jardinero ayudante.
14. Don Julio *el Rastrojero*, estalinista convencido.

Todos lo hicieron muy ordenadamente, pero con la tensión propia de los momentos sorprendentes.

Y cada mochuelo marchóse a su olivo.

En la capilla, Dios se quedó tranquilísimo. Las paredes aseguran que murmuró: «¡Uff, qué descanso!»

* * *

—Mamá, tengo que hablar contigo inmediatamente.

—Más tarde, Susú, que estoy impresionada.

—Más te vas a impresionar. A propósito, Marisol, besa a tu futura madre política.

La expresión de Mamá no tiene descripción literaria. Un poema catastrófico. Pero no estaba para poner trabas. Como una ovejita descarriada y vuelta al redil, como un pajarillo humilde, como una florecilla del campo, miró a Marisol y le puso una mejilla.

Marisol tan oportuna, le rozó la mejilla con sus labios. No por asco, que Mamá es muy limpia, sino por prudencia.

A Mamá le temblaba hasta el esternón.

* * *

Flora fue perdonada y gratificada, y recuperó su rango y privilegios. No necesitó confesarse para acceder a la amnistía. Don Ignacio, si bien con el prestigio y la credibilidad en amargo trance de descenso, volvió a ser recibido en el comedor principal. La promesa a san Jhonatán de Jabugo y el posterior castigo de la marquesa dejaron de atormentar a su pecador cuerpo de epulón de gorra.

El Cigala, sí, a pesar de ser readmitido como pinche de cocina, se alistó en el Tercio y fue destinado a Montejaque, en Ronda. Previamente había sido muy generosamente recompensado por la marquesa viuda. Lucas, informado por su hija Marisol de los últimos acontecimientos, tomó una decisión, seguramente influido por su hija, rebosante de sentido común e inteligencia. Abandonar su puesto en La Jaralera y solicitar la jubilación adelantada. Para Marisol habría sido muy complicado ser la señora de un territorio en el que su propio padre servía de guarda. El marqués aflojó el bolsillo, y le compró a su futuro suegro una casita en Arcos de la Frontera. Lucas fue sustituido por Mariano, hijo de Manolo el chófer, para que todo se quedara en casa.

Y Tomás, a cambio de renunciar a Flora —a la que ya había renunciado—, fue objeto de una extraordinaria compensación económica, que invirtió en Terra y le convirtió, de la noche a la mañana, en persona más que respetada en el banco del pueblo. A pesar de todo, por su cariño al marqués y a La Jaralera, se mantuvo en su puesto con nuevas responsabilidades. Además de mayordomo y ayuda de cámara del marqués de Sotoancho, Tomás fue autorizado a imprimirse unas tarjetas de visita en las cuales, bajo su nombre, se podía leer: «Montero Mayor y Jefe de Personal.» Además, a Tomás ya no le importaba Flora porque se cruzó por su mirada de hombre ardiente la joven y apetecible Virginia, muy tontita del culo pero esplendorosa hembra. A Flora no le gustó lo del Cigala, pero se olvidó pronto gracias a los requiebros y zalemas de Pepillo el jardinero, tan discreto, tan hombre y tan cómodo en el trato.

Manolo también disfrutó de un considerable aumento de sueldo, y Ramona, la excelsa cocinera de Zumárraga, de nuevo tentada por la duquesa de Alba, rechazó la oferta y restó en La Jaralera en espera de volver algún día, rica y jubilada, a su querida Bermeo, porque en Zumárraga le daba la depresión.

Y el marqués, feliz y triunfante, supo al fin lo que era mandar en lo suyo, disponer de sus bienes, vivir libre y soberano. Para ello, y dada la postración psicológica que padecía respecto a su madre, dispuso que las patas de la silla del comedor utilizada por la marquesa

B.

viuda fueran reducidas en diez centímetros. Así, al verla tan pequeñita en el comedor, con el tablero de la mesa a la altura misma de su barbilla, el marqués se sintió fuerte y en su sitio. Y Marisol feliz. Como futura marquesa de Sotoancho fue aceptada, sin excepcionales muestras de alegría, por su suegra, respetada por el servicio doméstico y reclamada por las revistas del corazón, a las que eludió elegantemente. La Jaralera no pertenece a este mundo, y por ello, nada de lo que sucede en su ámbito interesa a los de fuera.

* * *

De común acuerdo, decidimos que la boda se celebrara en la intimidad. Nada de alharacas y rimbombancias. Mamá prometió que sonreiría, y ese detalle da a entender de su estado de debilidad. Claro está que un mucho bastante he contribuido yo a ello con mi actitud. Así como le dije que a partir de ahora quien mandaba en casa era yo, a cambio le juré que jamás volveríamos a hablar del episodio de Arturas Markulonis. Si ella era libre a los diecisiete años, yo no tenía motivos para oscurecer su pasado entrometiéndome en su libertad. A partir de aquel momento, Marisol recibió alguna muestra de amabilidad por parte de mi madre.

Boda en privado. Sólo el tío Juan José y su mujer, Paquita *la Atunera*, quizá Moby, mi querido primo ladrón, y pocos más. El servicio en pleno. Oficiará la ceremonia don Ignacio, y el cocktail se hará en casa, a lo grande. Nada de uniformes ni chaqués. Marisol no quiere hacerse el traje de novia, porque dice, con muy buen criterio, que a una boda en privado no le hacen falta adornos ni excesos. Esta niña es una maravilla.

* * *

Están todos. Moby ha aprovechado para llevarse un cuadro. Lo he visto perfectamente, pero me gusta que me robe. Vive de eso. En la capilla cabíamos sin apreturas. Mamá de madrina y Lucas de padrino. Las miradas enrojecidas. Mis testigos, Moby, tío Juan José, Tomás y Manolo. Los de Marisol, Flora, Ramona, Pepillo y un tal Chechu, seguramente miembro de su familia. Bastante ordinario Chechu, pero no importa.

Música de Mozart y Haendel. Ha cantado Plácido Domingo, en disco, claro. La homilía brevísima, porque don Ignacio ha interpretado que nada nos importa menos que sus palabras. En plena ceremonia, Mamá se ha dejado llevar por un nuevo viento, y ha besado con ternura a Marisol. He estado a punto de soltar la mocarrilla. Cuando don Ignacio ha pronunciado la frase «Lo que Dios ha unido que no lo separe el hombre», he mirado a mi madre, y por si acaso, quedamente, en lugar de responder «amén», he rubricado: «Lo que Dios ha unido que no lo separe Mamá.» Seguro estoy de ello.

Esta tarde, vía Madrid, nos vamos a las islas Roques en Venezuela. Mis amigas Machado, las Machaditas, nos han prestado su paraíso. Diez días para empezar a cumplir con la obligación dinástica, y sobre todo, con el verdadero amor. Después, la vuelta a nuestro mundo, a nuestro prodigio.

Don Ignacio acaba de anunciarnos que la ceremonia ha terminado y podemos irnos en paz.

Marisol, la hija de Lucas, la hija del guarda, la maravillosa mujer que nació en mi vida, es ya la marquesa de Sotoancho.

La más guapa marquesa de Sotoancho desde que Dios es Dios y La Jaralera existe.

Eso sí, me quedo sin ver a Curro. Le he regalado la barrera a mi suegro.